JN077732

たくましい数学

九九さえ出来れば大丈夫!

吉田 武
Yoshida Takeshi

インターナショナル新書 111

数学は論理とは本質的に異なる感覚的な学問である

小平邦彦

前書

本書は，「数学とは何か」といった本質的問題に入る遥か手前で，学校教育における「負の連鎖」に巻き込まれて数学を避けるようになられた方に向けた「一つの試み」である．

　数学は「積み重ね」と主張する人は，重ね損ねた人のことを考えない．数学の「美」を強調する人は，そのたくましさには触れない．数学には「センス」が必要という人は，基礎教育の意味を履き違えている．こうした発言に晒（さら）される度に学生は殻に籠もり，その結果学ぶ意欲を失い，再び…という負の連鎖に陥（おちい）る．また「ひらめき」というものに対する過度な期待が，人を地道な努力から遠ざける．実際，幾何における「補助線の発見」を楽しんだ人が，その後の数学には興味を持てなかったという話もよく聞く．

　数学は「洗練された体系」である．洗練された体系とは，「相当の工夫を要する難問」を，特別のアイデアを持たない者でも，手間さえ掛ければ解けるように整備されたシステムのことである．アルキメデスの天才を持たない我々が，複雑な図形の面積を容易に求められるのは，ニュートン以降に整備された解析学の御陰である．センスや才能なるものは，それを「生み出す人達」に必要なだけであって，使う立場の人間に必須ではない．「メイカー」と「ユーザー」に対する教育は異なってしかるべきであろう．

　こうした現状を補完するために本書を企画した．特定の読者層は念頭にない．小学生から受験生，社会人から高齢の方まで，それぞれに「何かを得て頂けるもの」と考えて

いる．従って，貴重な読書の場において，言葉や漢字を学ぶ機会を奪うような野暮はせず，難読字にはルビを振った．文体は，大学入試 (現代国語) のレベルを意識した．

　恐らく中学生以上の読者には，本書は「簡単過ぎる」という評価になろう．しかし「本当に簡単か」，そこに一つの陥穽があるのではないか．現実を追う物理学とは異なり，数学における譬え話は，譬えで終らない．「無限！」と唱えれば無限が実現する．想像力が全てを決する学問なのである．借りものの知識としてではなく，自分自身の手を動かして，先人の想像力を味わい再発見が出来るか，それが問題である．その意味では，本書は随分と骨の折れる内容を持っていると考えている．御意見を乞う次第である．

　さて書名であるが，そもそも「〜さえ出来れば」という括りは，「誇大広告の常ではないか」と訝られるかもしれない．確かに，「九九」そのものの朗唱・暗記をもって「これを制した」と考える人達からは，そう指摘されるだろう．勿論これは著者が考える「出来る・分かる」の定義とのズレから生じたものである．従って，その定義を明らかにした上で，「なるほど奥の深いものだな」と合点して頂くことが本書の目的の一つである．加えて，敢えてこうした危うい表現を用いることが，決して耳目を集めるための誇張ではなく，「著者の実感」であることも示していきたい．

　鍵になるのは「自然数に対する我々の信頼」である．誰もが誰に学ばずとも，「一つまた一つと加えていけること」「それが終わる理由を持たないこと」「そこに無限の姿が見

出されること」を何の不思議も無く受け入れている．数は
その後，整数から有理数，無理数を経て実数へと拡張され
ていくが，この「拡張」という言葉が示す通り，これらは
皆「人の所業」である．独り自然数のみが「天与のもの」と
考えられている．九九や様々な数表を活用してその働きを
見ることは，与えられた知識としてではなく，"自らの心
が共鳴する体験"として数学を感じる第一歩なのである．

　先ずは次の図を御覧頂きたい．「通常のもの」とは異な
り「45 度回転」している．また数値の増える方向も違う．
しかし，唯の「九九の表」　　　　であることには違いない．

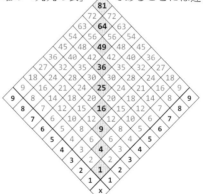

　図を御覧頂いて，何か気　　　付かれたことはないだろう
か．45 度の回転により，二つの軸が水平・垂直という特
別な立場を失って「対等の存在」になっている――著者は
これを "X(エックス) 表記" と名付けている．この表記に
より，通常の表では見え難かった「数の配置の対称性」が
露わになっている．既に分かっている人には誠に自明な，
実に他愛もないことである．しかし，人は斜めの線に対す

る対称性よりも単純な「左右対称」の方を好み，またその方が細部に目配りが利く．これにより「掛け算の順序は入れ替えても同じ結果になる」ことが視覚的にも強調されるのである．これは数の計算における極めて重要な性質である．それが今，一目瞭然の形式で目の前に拡がっている．

　これは一例に過ぎない．「九九の表」にはまだまだ重要な数学的性質が隠されている．それらを採り上げ，誰もが容易に実行出来る「自然数の四則計算」を通して，重要な数学的概念へと繋いでいく．「具象から抽象へ」である．また，役に立つ数表は「九九」だけではない．順次それらを紹介して，より多くの数学的対象を踏破していく．

　本書は著者による新記号や図案で溢れている．それは確かに些細なものであり，もしかすると既に誰かが何処かで提案されたものであるかもしれない．しかしながら，著者の頭から捻り出したものであることだけは確かなので，そのように記載させて頂く．御寛恕頂きたい．強調したいことは，記号などというものは，その定義さえ明確であれば，誰でも好きに作って好きに提案すればよいということである．それが普及するか否か，価値があるか否かは社会と時代が決めることであって発案者の責ではない．記号法にはまだまだ改善の余地がある故，混乱を恐れることなく新記法を提案し，その利便性を読者に問う次第である．

　では，公式も定理も証明もない，具体的な数の四則のみによる無骨で「たくましい数学」の姿をお楽しみ頂こう．

　　　　　　　　──先ずは「後書」へどうぞ！

目次

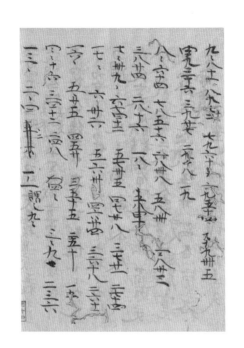

源為憲 (みなもとのためのり,?-1011) 著『口遊』
　真福寺蔵「弘長3年写本」の模刻
　国立国会図書館デジタルコレクション

第1章　千年前の君から

　本書は，前書において述べたように，「数学的な構成の順序」に拘った記述とは別の価値観で書かれている．具体例に基づく対象の直観的な把握を目指し，テーマ間の「関連性」を何より重視している．それは数学的内容である場合もあれば，単なる形式上の類似によるものである場合もある．論理ではなく「類似」と「連想」により話を進める．

　その主な理由は動機付けの問題である．明確な動機が見出せないまま，一方的に進んでいく学習スタイルに，不安を覚える人は多い．「何のために？」という疑問が脳内に木霊する時，柔らかな感受性は消え失せる．論理的整合性は初学者が学ぶ動機には成り得ないのである．

　さらに，文字の使用も避けた．本書には「謎の x」も「代わりの a」も登場しない．一個の文字にも，無限の可能性が内包されている．よって，扱いには細心の注意が求められ，故に話の本筋から外れやすい．始業点検に疲れて，遠出を諦めたドライバーのようになってしまうからである．

　話題が繋がっていくこと，その連鎖が実感出来ることが重要である．従って，その場での対応に充分であれば，そ

れ以上のものは先送りして網羅的な解説はしない．テーマ最優先の「数学の OJT(On the Job Training)」を目指していく．"必要は理解の母"でもある．そのため議論は曲線的になるが，それを厭わず冗長であることを恐れない．

　先ずは，自分のレベルを知る必要がある．しかし，これは他者と比較してどうかという話ではない．与えられた問題に対して，それが自分には「どのように見えるか」という「問題と自分との相対的な位置関係」のことである．従って，それは問題に応じて変化する．ここでは

レベル 0：答を見ても問題の意味が全く取れない
レベル 1：答を見れば問題の趣旨まで理解出来る
レベル 2：答を変えたときの問題の変化が分かる
レベル 3：助力があれば問題を解くことが出来る
レベル 4：完全に自力で問題を解くことが出来る
レベル 5：他者に対して問題の詳細解説が出来る
レベル 6：派生的なより高次の問題に改変出来る

と定義しておく．学ぶに際して，この「レベルの問題」を常に意識したい．当面の目標は「レベル 0」からの脱出である．「答から辿れば題意は理解出来る」という状態であれば充分である．「解ける」必要は無い．「自力で解ける」必要は全くない．ひたすら問題に対する自分のレベルを知ることに徹すれば，「彼を知り己を知れば百戦殆からず」の心境になれる．「問題を解かねばならぬ」という呪縛から解放されれば，数学は戦から娯楽へと変わる．

　要諦は答から始めることである．ゴールの分からないマラソンなどスタートの切りようがないではないか．

全ては九九に始まる

本章の主役は自然数とその四則計算，所謂加減乗除である．これは**加法** (足し算)，**減法** (引き算)，**乗法** (掛け算)，**除法** (割り算) を語呂良くまとめたものである．加算・減算・乗算・除算という表現もしばしば用いられるが，これは加「法」が算法，即ち計算の方法を示したものであるのに対して，加「算」は計算そのものを指すという表現上の違いがある．残る三法・三算も同様の関係にある．

1 加算の結果を**和**，減算の結果を**差**，乗算の結果を**積**，除算の結果を**商**という．除算には**剰余** (余り) という文字通りのオマケもある．また，割る数を**法**とも呼ぶ．なお，「0」は自然数ではないが，これを含める流儀もある．

先ずは，加法と乗法に重点を置く．そこで九九の登場ということに相成る．「何故九九か」に対する答は，自然数の加減乗除に苦労しない大半の読者にとって，九九は「自らが**レベル 1 以上である**」と認識出来る対象だからである．

仮に，九九が明瞭でないことを苦にされているならば，そうした無益な思い込みは捨てて頂きたい．記憶した内容を手掛かりに，相互の関係を学び発展させていくことが学習の基本ではあるが，**本質の理解から些末な関係の記憶へと転じる道もある**．裏道ではあるが，これも王道である．

内容に関して，先ず確認しておくべきことは，九九とは自然数の積より成る「倍数の一覧表」だということである．それは横の並びを取り出して見直せば直ぐに分かる．

×	1	2	3	4	5	6	7	8	9
1	1	2	3	4	5	6	7	8	9
2	2	4	6	8	10	12	14	16	18
3	3	6	9	12	15	18	21	24	27
4	4	8	12	16	20	24	28	32	36
5	5	10	15	20	25	30	35	40	45
6	6	12	18	24	30	36	42	48	54
7	7	14	21	28	35	42	49	56	63
8	8	16	24	32	40	48	56	64	72
9	9	18	27	36	45	54	63	72	81

横の並びを「段」と呼び,「縦(斜体)×横(太字)」として読むのが通例である. ここでは, 二数が作る「L字型の枠」と, 結果である「矩形の表」を敢えて分け強調した. 原因と結果の分離である.

2 次に, その形式について見ていく.「九九八十一」であるが, 実際にはL字の19枠を含めた100枠から出来ている. しかし, 以下のように表記すれば81枠で済む.

1×1 $=1$	1×2 $=2$	1×3 $=3$	1×4 $=4$	1×5 $=5$	1×6 $=6$	1×7 $=7$	1×8 $=8$	1×9 $=9$
2×1 $=2$	2×2 $=4$	2×3 $=6$	2×4 $=8$	2×5 $=10$	2×6 $=12$	2×7 $=14$	2×8 $=16$	2×9 $=18$
3×1 $=3$	3×2 $=6$	3×3 $=9$	3×4 $=12$	3×5 $=15$	3×6 $=18$	3×7 $=21$	3×8 $=24$	3×9 $=27$
4×1 $=4$	4×2 $=8$	4×3 $=12$	4×4 $=16$	4×5 $=20$	4×6 $=24$	4×7 $=28$	4×8 $=32$	4×9 $=36$
5×1 $=5$	5×2 $=10$	5×3 $=15$	5×4 $=20$	5×5 $=25$	5×6 $=30$	5×7 $=35$	5×8 $=40$	5×9 $=45$
6×1 $=6$	6×2 $=12$	6×3 $=18$	6×4 $=24$	6×5 $=30$	6×6 $=36$	6×7 $=42$	6×8 $=48$	6×9 $=54$
7×1 $=7$	7×2 $=14$	7×3 $=21$	7×4 $=28$	7×5 $=35$	7×6 $=42$	7×7 $=49$	7×8 $=56$	7×9 $=63$
8×1 $=8$	8×2 $=16$	8×3 $=24$	8×4 $=32$	8×5 $=40$	8×6 $=48$	8×7 $=56$	8×8 $=64$	8×9 $=72$
9×1 $=9$	9×2 $=18$	9×3 $=27$	9×4 $=36$	9×5 $=45$	9×6 $=54$	9×7 $=63$	9×8 $=72$	9×9 $=81$

これら異なる二つの表記を使い分けて議論を進める. 何れにおいても, 基礎となる数は「横方向は左から右」「縦方向は上から下」へと増加している. 即ち, 基準は「左上の隅」にある. これは, コンピュータにおける画面管理や, 表計算ソフトの「セル」と同様である.

行列の風景

　数の概念は様々な方向へ拡張されるが，「複数の数を一つの塊」と見做して，ある規則に従う「単独の数」のように扱う手法に**行列・ベクトル・複素数**の三種がある．

　ここでは，行列の外見上の特徴を見ておく．行列は，横の繋がりである「行」と，縦の繋がりである「列」からなる——これを三本線の漢字を利用して「三・川は行・列」と記憶してもよい．例えば，本文は横 26 文字で改行されているが，一行上の三列目の文字は「憶」である．

　行列の基準点もやはり左上隅である．九九を行列として扱うことはないが，行列風の面立ちをしている．数学では「丸括弧」で複数の対象をまとめる場合が多い．従って，文脈によってその意味は著しく変わる．行列の場合，「区切りの文字」を用いないことが一つの目印である．例えば

$$(2) \qquad (2\ \ 3) \qquad \begin{pmatrix} 2 & 3 \\ 5 & 7 \end{pmatrix}$$

は順に，「一行一列」「一行二列」「二行二列」の行列である．以下に九九の結果のみを行列風に表記しておく．

$$\begin{pmatrix} 1 & 2 & 3 & 4 & 5 & 6 & 7 & 8 & 9 \\ 2 & 4 & 6 & 8 & 10 & 12 & 14 & 16 & 18 \\ 3 & 6 & 9 & 12 & 15 & 18 & 21 & 24 & 27 \\ 4 & 8 & 12 & 16 & 20 & 24 & 28 & 32 & 36 \\ 5 & 10 & 15 & 20 & 25 & 30 & 35 & 40 & 45 \\ 6 & 12 & 18 & 24 & 30 & 36 & 42 & 48 & 54 \\ 7 & 14 & 21 & 28 & 35 & 42 & 49 & 56 & 63 \\ 8 & 16 & 24 & 32 & 40 & 48 & 56 & 64 & 72 \\ 9 & 18 & 27 & 36 & 45 & 54 & 63 & 72 & 81 \end{pmatrix}$$

行列には相互の計算規則はあるが，それ自体は「単に数を並べただけのもの」なので，上記を「九行九列の行列」と見做して，この行列の「第四行・第七列」の要素は 28 であると言ってもよい．また，行と列を入れ替えた「第七行・第四列」もまた 28 となる．他の数においても行と列を入れ替えた結果が同じになることから

　　　　第○行・第□列目の要素は「数値○×□」

と表せる．よって，この行列には，即ちこの元となる九九には「右下がり対角線に沿って数値の対称性がある」ことが示された．これはより単純に「○×□ ＝ □×○」の成立を意味している．従って，記憶に留めるべき九九の本質的部分は，対角線を含む残り半分となる．

> **参考**
>
> 　しかし，朗唱に省略は無く，「九九を覚える」というのは「81 種全てを言えることだ」と考える人達も居る．そこで次の手法を紹介する．読み上げをする際，声の大きさに変化をつけ，その「反動」を利用する．「ごろく」と大きく唱え，その直ぐ後に囁くように「ろくご」と続け，声を戻して「さんじゅう」とする．一気に書けば「ごろく(ろくご)・さんじゅう」となる．声の張りさえ良ければ，それは脳内に木霊する．少し慣れれば，声を出さずに全て処理出来る．これで記憶量は「半分」程度で済む．

　このようにして，掛け算の順序を入れ替えても結果は変わらないことが，「少なくとも 9 までの自然数の範囲」においては成立することが示された．これは数表の数値を具体的に調べたことによる「証明」である．このように制限

された範囲における "小さな数学" において，証明は具体的な結果の列挙によって為される．論理を駆使する必要もなければ，一般性を保証するために手を尽くす必要もない．具体的に調べて，事例を挙げるだけでよい．小さな数学は，少々のことでは "壊れない" たくましい**数学**である．

四則の二分類

同様のことが加法でも成り立つ．右の数表を見れば，やはり右下がり対角線を軸に対称性がある．従って，足し算の順序を入れ替えても，結果は全く変わらず

+	1	2	3	4	5	6	7	8	9
1	**2**	3	4	5	6	7	8	9	10
2	3	**4**	5	6	7	8	9	10	11
3	4	5	**6**	7	8	9	10	11	12
4	5	6	7	**8**	9	10	11	12	13
5	6	7	8	9	**10**	11	12	13	14
6	7	8	9	10	11	**12**	13	14	15
7	8	9	10	11	12	13	**14**	15	16
8	9	10	11	12	13	14	15	**16**	17
9	10	11	12	13	14	15	16	17	**18**

「〇 ＋ □ ＝ □ ＋ 〇」が成り立つ．

1 このように，加法と乗法は「計算順序の交換を許す」という意味で仲間である．しかし，減法はそうではない．計算結果が異なるだけではなく，それが自然数に収まる保証も無い．$5-3$ は出来ても，$3-5$ は自然数ではない．除法に至っては，結果が自然数になる場合の方が少ない．

即ち，四則の分類は何を問題にするかで変わってくる．計算順序の交換という意味から考えれば「加法・乗法」は一つの組である．しかし，逆の計算という意味から考えれば「加法・減法」「乗法・除法」が組を成す．ここで逆の計

算とは，二種類の計算を連続して行った時，結果が元に戻ることである．例えば，以下の加・減，乗・除の関係：

加：$(\underline{5}+3)-3=\underline{5}$,　　乗：$(\underline{30}\times6)\div6=\underline{30}$,

減：$(\underline{5}-3)+3=\underline{5}$.　　除：$(\underline{30}\div6)\times6=\underline{30}$.

などである．数学は「逆」の成立を重視する．「行って帰る」という往来が，理論を豊かなものにするからである．

　従って，重要な概念の多くは「対」を成して現れる．例えば，**"不思議な割り算である微分"** と **"凝った掛け算である積分"** は，互いに逆の関係にある．即ち，乗法・除法の関係と同様に，微分したものを積分しても，積分したものを微分しても，結果は元に戻るということである．

2　左上隅を基準とする表記を紹介してきたが，この表記を選ぶべき数学的な理由は無い．では本来縦書きである我が国の書物において，表記は如何なるものが適切か．九九はどうか．同じく81の枡目（ますめ）を利用する将棋はどうか．

　盤面の表記を見れば明らかである．右上隅を基準に，盤面の横方向には算用数字を，縦方向には漢数字を用いる工夫がされている．なお，現在の将棋連盟の「棋譜」では，両方

9	8	7	6	5	4	3	2	1	／
香	桂	銀	金	王	金	銀	桂	香	一
	飛						角		二
歩	歩	歩	歩	歩	歩	歩	歩	歩	三
									四
									五
									六
歩	歩	歩	歩	歩	歩	歩	歩	歩	七
	角						飛		八
香	桂	銀	金	玉	金	銀	桂	香	九

向ともに算用数字が用いられている．

　棋界では，列に相当する縦の線を「筋（すじ）」という．ただし，

自陣の左から数えて何本目かを表す際には「間<ruby>けん</ruby>」を使う．「５筋の歩」「四間飛車」などという．即ち，筋は絶対的，間は相対的な指定である．行に相当する横の線を「段」と呼ぶが，こちらは絶対的にも相対的にも用いられている．七段目は自陣三段目であり「三段玉」などとして使われる．敵陣三段目まで玉が動けば「入玉」と言われる．

九九の中に潜む三角形

　以上を見ていると，基準となる数は文字の流れる方向に沿って増えるのが自然に感じてくる．しかし，幾何学との繋がりを考えると一転，そうも言えなくなる．

1　グラフは数の関係を点の集まりとして視覚化する．点の位置を与える数の組を**座標**という．全体の枠組となる軸には，直交する二直線を配し，数値の増加方向は横軸は右に，縦軸は上に取るのが基本形である．これは「左下隅が基準になる」ことを意味する．この基準を**原点**という．

　そこで，左上隅の基準点が左下に来るように表を「反時計回りに 90 度回転」させると，グラフとの対比が容易になる．そして，新たに対称の軸となった右上がりの対角線から上の重複部を消去する．対角線上には**平方数**：

9									81
8								64	72
7							49	56	63
6						36	42	48	54
5					25	30	35	40	45
4				16	20	24	28	32	36
3			9	12	15	18	21	24	27
2		4	6	8	10	12	14	16	18
1	1	2	3	4	5	6	7	8	9
x	1	2	3	4	5	6	7	8	9

$$1^2 = 2, \quad 2^2 = 4, \quad 3^2 = 9, \quad 4^2 = 16, \quad 5^2 = 25,$$
$$6^2 = 36, \quad 7^2 = 49, \quad 8^2 = 64, \quad 9^2 = 81$$

が並んでいる．特に下から 3,4,5 番目の数の二乗の和は，$3^2 + 4^2 = 5^2$ より所謂「**三平方の定理**」を充たしている．

2 この二乗和の関係は，幾何学的には「直角三角形の三辺の長さ」を表している．三平方の定理を充たす自然数の「三つ組」は無限にあるが，これはその中でも最も簡単な例である．

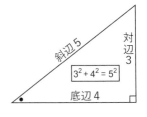

　直角三角形の斜辺の**傾き**は，「対辺の長さ」割る「底辺の長さ」で与えられる．この場合ならば 3/4 となる．これが図の黒丸の角度を決める．もし，この具体的な値が知りたければ，Google で「検索」をすればよい．

$$\boxed{\text{arctan}(3/4) \text{ in degrees}}$$

と入力すれば，筆頭に「36.8698976 degrees」が出てくる．ここで degrees とは，一周を 360 度とする**度数法**でという意味である．およそ 37 度，これが黒丸の角度である．直角三角形を対象にしているので，残る一つの角度は $180 - 90 - 37$ より，およそ 53 度になるはずである．同様に「arctan(4/3)」と入力すれば，この値が求められる．

　直角三角形において，「対辺と底辺」には相対的な意味しかない．時計回りに 90 度回転させれば，両者は入れ替

わり，斜辺の傾きも入れ替わった値になる．

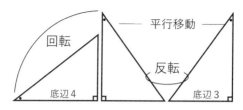

回転　　平行移動　　反転

底辺 4　　　　　　　　　底辺 3

参考

　　　　上図には，回転と平行移動と反転が描かれている．幾何学的対象は，この三種類の変換によって影響を受けない．各部に対する呼び名は変わったとしても，形そのものは不変である．前から見ても後ろから見ても，車は車であり，飛行機は飛行機である．だからこそ我々は見る位置，姿勢に関わらず，これらを識別することが出来る．

　　逆に，対象の確実な把握には，こうした変換を通して，その全貌を知る必要がある．それは全てに適用される大原則である．従って，我々は本も「様々な角度」から読む必要がある．これは比喩ではない．物理的に回転させ，裏返し透かして見る．机に置いて自分自身が回転してもよい．特にグラフや表などは，そうした変換により隠れていた部分を捉える可能性が高まる．それを促す手法として，前書で紹介した X 表記を提案した．

3　さてさて「arctan」とは何だろうか．自然数を扱っていたはずが，いきなり分数や小数が現れ，さらには読みも分からない六文字が登場してきたわけである．

　これは「問題レベル 3」の「助力があれば〜」に属している．手続きの意味は分からなくても，計算機があれば，その値を出してくれる．人に聞くのも，本を読むのも，計

算機に頼るのも，全ては助力の一形式である．気になることがあれば，先ずは答が得られる手段を探すべきである．

単なる計算結果だけではなく，その式の意味や発展事項についてまとめている Wolfram Alpha の検索ボックスに

$$\boxed{\text{arctan}(3/4)} \quad (\text{https://ja.wolframalpha.com/})$$

と入力すれば，より詳細な情報が得られるだろう．

定規と分度器があれば，この問題を自力で処理出来る．図形の問題は，正確に描いてそれを測れば「解ける」わけである．そこには作画上の誤差，測定上の誤差，その他諸々の困難が伴うが，唯の一回でもよい，「道具を使って測る」という体験が，その後の理解を深いものに変える．「およその値が如何に難問を易化させるか」を知るためには，こうした手作業が何より重要である．

後は，以上の結果を「如何にして手計算で求めるか」が残る．その過程の中で，ようやく記号の意味が分かるだろう．**意味は重要であるが，それは最優先事項ではない．**後からでも分かれば，それで充分である．

九九の構成要素

1 さて，対角線を境に残りの半分に絞っても，九九にはまだ重複がある．以下がその一覧である．

$$4 = 1 \times 4 = 2 \times 2, \qquad 16 = 2 \times 8 = 4 \times 4,$$
$$6 = 1 \times 6 = 2 \times 3, \qquad 18 = 2 \times 9 = 3 \times 6,$$
$$8 = 1 \times 8 = 2 \times 4, \qquad 24 = 3 \times 8 = 4 \times 6,$$
$$9 = 1 \times 9 = 3 \times 3, \qquad 36 = 4 \times 9 = 6 \times 6.$$
$$12 = 2 \times 6 = 3 \times 4,$$

そもそも数値の掛け算とは，与えられた二数が「一つの積」になることである．「二が一になる」のだから，そこに情報の欠落が生じ「一方通行」になるのは当然である．

　例えば，2と3の積は「6という一つの自然数」になる．2×3は必ず6であり，紛れは無い．必ず一つに決まることを一意であるという．即ち，積は一意に決まる．ところが，逆に「6」と定めても，上記したようにこの値に一致する九九は二通りある．従って，表中の数に重複があると，唯一つの到着点として「何掛ける何」とは言えない．

2　先に，数学では行って帰っての往来が自由であることが重要であると述べた．「一意性」「逆の存在」が理論の豊かさを大きく左右するのである．そこで，一つの実験として九九の表から重複を完全に取り除こう．前頁末の一覧から，各々の中央の項 ($1×4, 1×6, \ldots, 3×8, 4×9$) を消去する．下図の**左**が消去前，**右**が消去後である．九九の場合，異なるものはこれら 36 種類のみである．

9									81
8								64	72
7							49	56	63
6						36	42	48	54
5					25	30	35	40	45
4				16	20	24	28	32	36
3			9	12	15	18	21	24	27
2		4	6	8	10	12	14	16	18
1	1	2	3	4	5	6	7	8	9
×	1	2	3	4	5	6	7	8	9

9									81
8								64	72
7							49	56	63
6	←					36	42	48	54
5					25	30	35	40	45
4				16	20	24	28	32	
3			9	12	15	18	21		27
2	←	4	6	8	10		14		
1	1	2			5				
×	1	2	3	4	5	6	7	8	9

　この表によれば，結果から唯一の「二数の組」を辿れる．右図では，42 を分解すれば必ず「$6×\mathbf{7}$」になること，さら

に 6 が分解出来て「**2**×**3**」になることが矢印によって示されている．これより，「$42 = 2 \times 3 \times 7$」となることが分かる．この時，6, 7 は 42 の約数であるという．また，2, 3 は 6 の約数である．2, 3 のように，これ以上分解出来ない数を**素数**という．逆に，分解可能な数は**合成数**と呼ばれる．

3^2	九九では，2, 3, 5, 7 が素数である．他はこれら
2^3	の積なので全て合成数である．即ち，L 字の中を
7	素数で書き直すと，表に登場する全てが素数の積
2·3	で表せる．なお，1 は素数でも合成数でもない．
5	従って，実質的には「1 を除いた以下の 35 種類」
2^2	が分解出来たことになる．以下，太字は素数．
3	
2	
1	

×	1	2	3	2^2	5	2·3	7	2^3	3^2

2, **3**, 4, **5**, 6, **7**, 8, 9, 10, 12, 14, 15, 16, 18, 20, 21, 24, 25, 27, 28, 30, 32, 35, 36, 40, 42, 45, 48, 49, 54, 56, 63, 64, 72, 81.

約数と倍数

さて，これまで断りなく用いてきた用語を，ここで改めて整理しておこう．九九において見慣れた形式：「二数の積」から考える．なお，ここで数とは自然数の意である．

$$\boxed{数_1} \times \boxed{数_2} = \boxed{積}$$

1 この時，二数から見て積を各々の**倍数**と呼び，積から見て二数の各々をその**約数**と呼ぶ．倍数と約数はどちらを主語にするかによって変わる「対」である——なお，数の対象が拡がれば，負の倍数，約数を考えることになる．

1 は全ての自然数の約数である．また，数はその数自身で割り切れるから，**少なくとも二つの約数を持つ**ことになる．先にも述べた素数とは，この二つ以外に約数を持たない数であり，持つ数が合成数だということになる．

　このように，全ての数は 1 の倍数であり，1 は全ての数の約数である．加えて，1 は「素数でも合成数でもない」という非常に特殊な立場にある．逆に見れば，倍数・約数の陰には常に 1 や，その数自身が隠れていることになる．

　例えば，「二三が六：$2 \times 3 = 6$」であるが，これは

$$1 \times 2 \times 3 = 6$$

であるから，6 は「$1, 2, 3, 6$ の倍数」であり，$1, 2, 3, 6$ は「6 の約数」ということになる．

　九九が暗示しているように，例えば，2 の倍数は順に自然数を掛け算していけば「幾らでも作れる」ので，そこに「終り」は無い．一方，約数は「何々の約数」という形で定義されるので，その数自身を限界とする「限り」がある．その結果，その数自身を除いた「最小の倍数は何か」「最大の約数は何か」という問題設定が出来る．これは二数以上の共通の倍数，約数を論じる際に一段と顕著になる．

2　多くの場合，約数と倍数は各々単独で語られ，両者を合わせた「一つの集まり」として扱われることはない．ここでは，元の数とその約数，倍数を一つの枠の中で論じる．

　例えば，9 を採り上げよう．この数を強調するために箱で囲み，約数と倍数 (の一部) を列挙する．そして，それを

「一つの集まり」として扱うために波括弧で囲う.

$$\left\{ 1, \mathbf{3}, \boxed{9}, 18, 27, \mathbf{36}, 45, 54, 63, 72, \dots \right\}.$$

約数 ← 倍数 →

ここで，9 以下が約数，9 以上が倍数である――以上，以下
は「以て上・以て下」が元々の意味であり，従ってその数
を含むことに注意．全く同じことを 12 に対しても行うと

$$\left\{ 1, 2, \mathbf{3}, 4, 6, \boxed{12}, 24, \mathbf{36}, 48, 60, 72, \dots \right\}.$$

約数 ← 倍数 →

　以上，二つの結果を見比べると，約数 3 が両者に含ま
れている．1 も共通であるが，3 がこの中の最大のものな
ので，これを二数の**最大公約数**という．また，倍数として
は 36 が共通である．72 において両者は再び相見えるが，
最小の 36 を採り上げこれを**最小公倍数**と称する．ここで
「公」とは「共通の」という意味である．なお，最大公約数
は「GCD (Greatest Common Divisor)」，最小公倍数は「LCM
(Least Common Multiple)」と略される．

　両者の条件に共通しているのは「元の数により近いこ
と」である．約数の中で「より近い要素」とは「より大き
いもの」であるから最大が，倍数の中では「より小さいも
の」になるから最小が選ばれるわけである．

他の公約数 , ..., 最大数	数の組	最小数 , ..., 他の公倍数

なお，共通の約数が 1 しかない，即ち「最大公約数が 1」
である場合，二数は**互いに素である**という．次頁上は一例

として，12 と九九の数 (1 から 35 までの 24 個) に対する最大公約数を求めたものである．1, 5, 7, 25, 35 が 12 とそれぞれ「互いに素」の関係にあることが見て取れる．

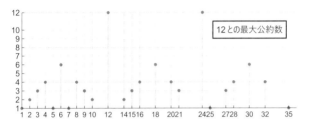

約数の働き

1 隣接 (連続) する二つの自然数は互いに素になる．以下に，具体的に 24 までの各数の約数を丸印で示した．

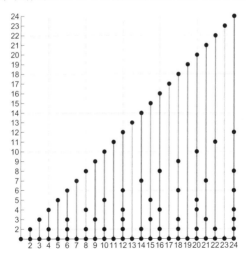

どの数を選んでも，その隣に同じ約数 (1 以外) を持つ数は
無い．水平線に沿って定木を当て，ズラしてみればよく分
かるだろう．譬えば，"隣人は他人"ということである．
なお，両端 (1 と自身) のみに丸印がある数は素数である．

ところで，「時に関連した数」は，多くの数で割り切れ
た方が生活に便利なので，豊富な約数を持った数 (全て 6
の倍数) が選ばれている．表の形にまとめておく．

12 (6 個) : $1, 2, 3, 4, 6, 12,$
24 (8 個) : $1, 2, 3, 4, 6, 8, 12, 24,$
60 (12 個) : $1, 2, 3, 4, 5, 6, 10, 12, 15, 20, 30, 60.$

注意

　　　先に，約数と倍数を一つの集まりとして一覧した
際，末尾は記号「...」で締められていた．この無名の記
号は，数学において非常に多用されている．「この後も同
様に (無限に) 続く」という意味である．自然数が無限に
存在する以上，倍数もまた無限に存在するわけで，それ
を「列挙」によって示すことは出来ないからである．
　　　しかし，便利であるが故に濫用も多く，また「同様に続
く」という表現で，以後の内容が確実に把握出来るわけ
でもない．従って，これは便宜的な使用に留めるべき記
号である．実際，数学のある部分の発展は，この記号を
用いずに無限を語る方法を見出したことに因っている．

互いに素であることは，工業的にも広く活用されてい
る．機械化の要諦は，動力の伝達にある．中でも歯車は最
重要な部品である．しかし，それは常に摩耗の危険に晒さ
れている．摩耗や破損の少ない機構を実現するためには，

同一箇所の酷使を避ける必要がある．そこで，二枚の歯車の歯数は「互いに素」となるように選ばれている．次の図は，歯数 17 と 16 の組の例である．一回転毎に噛み合わせが一つズレていく様子を容易に想像出来るだろう．

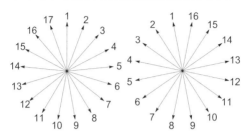

2 ここでも九九の表の形式を採用して，二数の GCD と LCM を求めよう．その結果から，両者の関係が具体的に理解出来る．恐らく大半の読者にとって，レベル 1 の問題であると思われるので，答を見ながら納得して頂きたい．

以下，**左**は GCD，**右**は LCM の表であるが，何れも右上がりの対角線に対する対称性を持っている —— X 表記を用いれば左右対称である．また，対角線に 1 から 9 までの数が並んでいる点も同様である．

G	1	2	3	4	5	6	7	8	9
9	1	1	3	1	1	3	1	1	9
8	1	2	1	4	1	2	1	8	1
7	1	1	1	1	1	1	7	1	1
6	1	2	3	2	1	6	1	2	3
5	1	1	1	1	5	1	1	1	1
4	1	2	1	4	1	2	1	4	1
3	1	1	3	1	1	3	1	1	3
2	1	2	1	2	1	2	1	2	1
1	1	1	1	1	1	1	1	1	1

L	1	2	3	4	5	6	7	8	9
9	9	18	9	36	45	18	63	72	9
8	8	8	24	8	40	24	56	8	72
7	7	14	21	28	35	42	7	56	63
6	6	6	6	12	30	6	42	24	18
5	5	10	15	20	5	30	35	40	45
4	4	4	12	4	20	12	28	8	36
3	3	6	3	12	15	6	21	24	9
2	2	2	6	4	10	6	14	8	18
1	1	2	3	4	5	6	7	8	9

どの行でも列でもよい，前頁二表の何処か一項目に注目して切り出してみよう．例えば 4 の行から，両者の個々の要素を取り出し，その積を計算すると以下のようになる．

G	1	2	1	4	1	2	1	4	1
×	×	×	×	×	×	×	×	×	×
L	4	4	12	4	20	12	28	8	36
‖	‖	‖	‖	‖	‖	‖	‖	‖	‖
九九	4	8	12	16	20	24	28	32	36

明らかに，GCD と LCM の積は「九九」そのものになっていることが分かるだろう．どの行・列の組合せにおいても結果は同様である．これは，一般的に成り立つ

最大公約数×最小公倍数＝二数の積

という両者の関係の具体的な例になっているのである．

九九のグラフ

1 表とグラフの対比に戻る．先例と同様に，「81 枠の表」を「反時計回りに 90 度回転」させる．そして，掛け算の結果を略し，元の二数を「カンマ」で区切って全体を丸括弧で括る．例えば，$3 \times 7 = 21$ を $(7, 3)$ と書いて，丸括弧を座標と見做す．即ち，この場合であれば

$$(横軸の数値，縦軸の数値)$$

という形式で枠を唯一つ指定するわけである．

　本章では，横軸の数値には太字，縦軸には斜体を用いることで，両者の違いを強調している．平面上 (二次元) の点を漏れなく指定するためには，必ず二つの**座標値**が必要である．その結果，次頁上のような表が得られる．

(1,9)	(2,9)	(3,9)	(4,9)	(5,9)	(6,9)	(7,9)	(8,9)	(9,9)
(1,8)	(2,8)	(3,8)	(4,8)	(5,8)	(6,8)	(7,8)	(8,8)	(9,8)
(1,7)	(2,7)	(3,7)	(4,7)	(5,7)	(6,7)	(7,7)	(8,7)	(9,7)
(1,6)	(2,6)	(3,6)	(4,6)	(5,6)	(6,6)	(7,6)	(8,6)	(9,6)
(1,5)	(2,5)	(3,5)	(4,5)	(5,5)	(6,5)	(7,5)	(8,5)	(9,5)
(1,4)	(2,4)	(3,4)	(4,4)	(5,4)	(6,4)	(7,4)	(8,4)	(9,4)
(1,3)	(2,3)	(3,3)	(4,3)	(5,3)	(6,3)	(7,3)	(8,3)	(9,3)
(1,2)	(2,2)	(3,2)	(4,2)	(5,2)	(6,2)	(7,2)	(8,2)	(9,2)
(1,1)	(2,1)	(3,1)	(4,1)	(5,1)	(6,1)	(7,1)	(8,1)	(9,1)

このように，九九の二数は座標としても利用出来る．譬えれば，（丁目，番地）という形で住所が定まり，その土地の坪単価が「丁目×番地」で与えられる形式になっている．

省略された九九の結果も含めて表記するために「次元」を増やそう．その値を高さと見れば三次元の表現が出来る．

図では，座標 $(1, 1)$ の上「高さ 1」の所に，$(9, 9)$ の上「高さ 81」の所にと，積の値に応じた位置に全体で 81 個の小球を描いている．

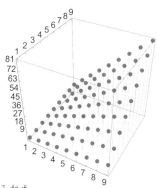

高さ方向は，縦横の長さと同じになるように圧縮して立方体を構成させ，9 の倍数の目盛を入れた．

また，小球の三次元での位置は，二次元の座標の自然な拡張として，例えば $(3, 7, 21)$ により与えられる．この球の位置が「$3 \times 7 = 21$」を象徴しているわけである．

2 前図では，省略せずに全数値を描いてグラフの面白さを強調した．しかし，その半面見辛さもあるので視点を真正面に移す．三次元グラフの奥行きを潰した形式である．

ここでは各点を点線で結んでいるが，自然数は離散的な存在であり，各数の間は全くの空白なので

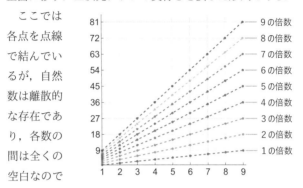

それを線で結ぶことは本来無意味である．しかし，値がどのような割合で増えていくかを視覚化するためには，これは極めて効果的なのである．実際，九本の直線上のそれぞれに各倍数が例外なく乗っていることが分かる．これは値が一定の割合で増えていることを意味している．直線は定数倍の関係，即ち**比例関係**を象徴するのである．

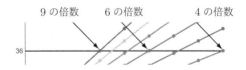

縦は九九の結果に対応しているので，例えば36の横線と各直線の交点を調べると，図の矢印が示すように「4の倍数」「6の倍数」「9の倍数」を示す三本の直線のみが，その「値を示す丸印」を横線の上にピタリと乗せている．こ

れは九九に重複があることを示す幾何的な表現である.

3 次に,「345 の直角三角形」において示した手法を用いて,倍数を示す直線の傾きを調べる.先ずは「9 の倍数」である.これは横方向に 9 進んで 81 上がっている.従って,底辺 9・対辺 81 の直角三角形を考えることになり,その傾きは 9 となる.Google 検索によれば,これはおよそ 84 度に近い角度 (右図) である——側壁から 1 メートル離れて三階の部屋を見るような角度である.しかし,前頁のグラフでは縦方向が圧縮されており,直角二等辺三角形 (正方形の半分) になっている.従って,傾きは 45 度である.

本来ならば,「1 の倍数」がこの傾き (底辺 9・対辺 9) を持つはずであるが,紙面の都合から,こうした縦横の比を選ばざるを得ない.実際,多くの著作物の図版において,縦横の比は修正されているので要注意である.定性的な議論にはよいが,図から具体的な値を読み取る場合には問題になる.前頁の図の場合なら,時計回りに 90 度回転させることで,「1 の倍数の傾き」から正しい「9 の倍数の傾き」を見出すことが出来る.

九九の歴史は古く紀元前に及ぶ.本邦では万葉集に言葉遊びとして登場し,遅くとも千年前「光源氏の時代」には貴族子弟の常識とされていた——教本『口遊』に記載がある.「千年後の君」はこの事実を如何に捉えるか.思わず「今在るものは全て昔より在る」と呟きたくならないか.

用語の問題：日英の比較

　本書は，論理的な構成に拘らず，話題の繋がりを軸に議論を進めているので，未見の用語や概念が登場する場合がある．また，無用の負担を避けるため説明を省いた場合も多い．ただし，大半は後でより詳しく扱われるので，ドラマの伏線のように回収されるのを待って頂きたい．ここでは，幾つかの基礎的用語を日英の比較を交えて紹介する．

　数学 (mathematics) に代表されるように，我々は訳語に「数」を付け過ぎた．「式」も同様である．これでは混乱するのも無理はない．幸い英語圏では，各用語はより原義に近い体裁を保っているので，これを活用したい．

　先ず，定**数** (constant)，係**数** (coefficient)，因**数** (factor) などは，何れも「対象を調整する定まった要素」といった意味を持つ．また，未知**数** (unknown)，変**数** (variable)，媒介変**数** (parameter) なども，目的に応じて使い分けられているので，各々の役割や働きを知ることが重要である．

　冠無しの**式** (expression) は単なる数学的な表現を指す最も広い用語である．等号により結ばれた等**式** (equality) と不等号による不等**式** (inequality)，方程**式** (equation) と恒等**式** (identity)，さらに公**式** (formula) の違いに注意する．

　数と文字の積を**項** (term)，項を有限個加えたものを**多項式** (polynomial)，有限でない場合を**級数** (series)，項が一つのみの多項式を**単項式** (monomial) という．多が単を含むのは数学の常道であるが，学校数学では何故かこれを分離した上で，両者を含む概念に別名 (整式) を与えている．

第 2 章 数列とグラフ

　本章では，自然数が如何にして作られるかを示した後，具体的な自然数の列により定まる数の対応関係を論じる．これは数列と呼ばれ，点のグラフとして視覚化される．

自然数を作る

1　自然数には「個数を数えること」と「順番を指定すること」の二つの役割がある．「林檎三個」と「三番目の林檎」の違いである．ここに登場するのは，共に自然数 3 であるが，両者は異なる役割を担っていることが分かるだろう．

1	one	*first*	(1st)
2	two	*second*	(2nd)
3	three	*third*	(3rd)
4	four	*fourth*	(4th)
5	five	*fifth*	(5th)
6	six	*sixth*	(6th)
7	seven	*seventh*	(7th)
8	eight	*eighth*	(8th)
9	nine	*ninth*	(9th)

　英語では，この対応関係を上のように表現している——末尾の括弧内は略記．三人と三番目の人は違う，従って three ではなく "*Lupin the third* " となる．この自然数の二面性 (次頁上図参照) により，九九の二数も左下から右へ何番目，上へ何番目という形で座標としても働いて，積の位置指定に流用することが出来たのである．

| 1番目の
自然数は
1 | 2番目の
自然数は
2 | 3番目の
自然数は
3 | 4番目の
自然数は
4 | 5番目の
自然数は
5 | ⋯ |

しかし，自然数以外では両者が一致せず上手くいかない．例えば「1番目の奇数は1」であるが「2番目は3」である．

2 そもそも自然数とは何か．人々の生活の中で「一つ二つと数えるべき対象」が生じた際，それを略記する必要が出来，そこから様々な数の表記が生まれたのであろう．「牛一頭」であろうが「花一輪」であろうが「人一人」であろうが，そこに「1」という数を当てるだけで全ては抽象化され，あらゆる相違を乗り越えた単なる計算対象になる．

現在の算用数字 (アラビア数字・実はインド産) の体系を前提に書けば，その定義は以下のようになろうか．ここで「:=」は，「左辺を右辺で**定義する**」という記号である．

$$
\begin{array}{l|l}
1, & 1, \\
2 := 1+1, & 2 := 1+1, \\
3 := 1+1+1, & 3 := 2+1, \\
4 := 1+1+1+1, & 4 := 3+1, \\
\quad\vdots & \quad\vdots
\end{array}
$$

左は「始まりの数1」に対して「そこに加えた1の個数が新たな数を決める」という素朴な定義であり，希望する数を直接表せる利点がある——例えば「100とは何か」と問われれば，「1に1を99個加えた数」と答えられる．また，この定義は「数を和で表す方法」の総数を議論するための基礎ともなる．例えば，4を「●●●●」と表す時，和が4になる組を間仕切「｜」を用いて「●｜●●●(1+3)」「●｜●｜●●(1+1+2)」などと表すことが出来る．

一方，**右の表現**では「一つ前の定義」を元に次の数を定めている．逆に辿れば，連鎖は「終りの数 1」の存在により必ず止まる．本書では前者の条件を再帰部，後者を基底部と呼ぶ．この二つを一組として**再帰的定義**という——次章でより詳しく扱う．この場合であれば，「4 とは 3 に 1 を加えたもの」「(その) 3 は 2 に 1 を加えたもの」…と続き，最後に「1 は最小の自然数である」で終る．この最小値の存在こそが，全体を意味あるものにしている．「ドミノ倒し」にも譬えられる自然数のこの性質を，そのまま利用するのが**数学的帰納法**と呼ばれる "演繹的" 証明法である．

三種類の等しさ

1 ここで，数学の特徴を示すことで「数学とは何か」という疑問に僅かばかり迫りたいと思う．その特徴を一つ挙げるとすれば，それは「"等しさ" という概念を軸に，既知の対象を統一し，分類・整備することで，未知の対象へと繋いでいく学問である」ということになろうか．

では，「等しいとは何か」が次なる問となる．本書では，以下の三記号が示す「等しさ」を軸に議論を進める．

$$= \qquad \equiv \qquad \Longleftrightarrow$$

これらは，左から順に**等号**，**合同**，**同値**と呼ばれる記号である．図形的には，何れも長方形と同じ対称性を持っている．この幾何的な特徴は，記号の持つ本質的な意味を反映させており，「等しさ」に対する極めて重要な示唆を与えている．では，等号の意味から考えていくことにしよう．

2 実際は，等号よりも「イコール (equal)」という呼称の方がより定着している．この記号の左側を左辺，右側を右辺，合わせて両辺と呼ぶ慣わしである．即ち，等号は式の「意味上の中央」に位置している．基本的な四則計算の法則に馴染んでいれば，以下は容易に理解出来るだろう．

(1)：$1729 = 1729.$

(2)：$1729 = 19 \times 91$ の時，$19 \times 91 = 1729.$

(3)：$\begin{bmatrix} 1729 = 1^3 + 12^3 \\ 1729 = 9^3 + 10^3 \end{bmatrix}$ の時，$1^3 + 12^3 = 9^3 + 10^3.$

数学は，この RST 関係 (番号順に反射律, 対称律, 推移律) と呼ばれる三つの性質を充たすものを**等しい**と定義している．等号は，全ての "等しさ" の模範であり故郷である．

(1) は自分自身の姿を鏡に映した時，正に自分が映っていることを表している．余りにも当たり前に思えることであるが，これが無ければ一切先には進めない．

(2) は，左辺と右辺の交換が可能であることを示している．この対称性は，記号の外見上の特徴にも現れている．

(3) は，共通の要素を含む二式が同時に成り立つ時，そこから新たな等号関係が導かれることを示している．

続いて，**合同**である．合同とは，数の理論においては，割り算した結果，その余りが「等号の意味で等しいもの」の関係を指す．例えば，2 で割って 1 余る 3 と 5 は合同である．割り切れる 4 と 6 も合同である．即ち，奇数と偶数は 2 で割ることを前提にした合同による分類である．

幾何学においては，二つの図形が完全に重なる場合を指

す．例えば，半径の等しい円は**合同**である．因みに，互い
に他と拡大・縮小の関係にあるものを**相似**という——記号
は「∽」を用いる．従って，半径の異なる円は相似である．

　同値とは，主張に対する「等しさ」である．例えば，三
角形に対して「一つの内角の大きさが 90° である」という
主張と，「三辺の長さが三平方の定理を充たしている」と
いう主張は同値であり，共に直角三角形を定義している．

3　以上，三種の「等しさ」について概観した．奇数・偶
数の例に見られるように，「等しさ」は同時に「等しくない
もの」をも定めるので，分類の根拠になる．ある特徴を抽
出して，それぞれに適切な居場所を与えることが出来る．

　さて，「等しく」は「ない」ことを，記号「≠」により表
すと，等しくない世界，特に数の場合には，その「どちら
が大きいか」という問題が生じる．それを記号「<」で表
し，**不等号**と呼ぶ．例えば，$5 \neq 6,\ 6 \neq 7$ であり

$$2^2 < 5 < 6 < 7 < 8 < 3^2$$

である．なお，逆向きの不等号による表記，「7 > 6」も広
く用いられている．これは「7 は〜より大きい」という形
式で，7 を主語として語るのに適しているからであるが，
一般に「数の増加方向を右に取ることが多い」ので，慣れ
るまでは「<」に統一した方が混乱しないだろう．

　両側を不等号により挟んで，対象のおよその大きさを
見積もることを**評価**という．$1 < 7 < 81$ も評価であり，
$6 < 7 < 8$ もまた 7 の評価である．従って，等号による

関係が点や線といった大きさ (幅) を持たないものにより視覚化されるのに対して，不等号による関係は，拡がりを持った図形になる．これを**区間**，あるいは**領域**と呼ぶ．

主役に等号を配した分野を代数学，不等号を配した分野を解析学という．脇は相互に入り交じる．仲を取り持つのが幾何学である．大学図書館には，代数・解析・幾何の三種をブレンドした書名を持つ本が所狭しと並んでいる．

倍数の無思考判定法

二数の掛け算という観点から，平面的な拡がりを持った表を元に九九について調べてきた．しかし，単純な倍数の一覧という見方をすれば，先のグラフで示したように，各倍数が動く様子を表にするという手法も考えられる．

そこでいささか冗長ではあるが，次頁の表を作った．取り立てて新味は無いが，実は重要な，しかしあまりにも「当たり前な主張」が隠されている．それは倍数を求めるには，数学的な知識は全く必要がないということである．

例えば，歩幅を 2 に調整したロボットは，他の一切の情報無しに偶数だけを踏んでいく．最初の一歩をズラセば奇数だけになる．歩幅を 3 にすれば 3 の倍数が，以下全く同様にして，あらゆる倍数を歩幅の調整だけで選べる．これは狭い表だけを見ていたのでは，見逃しがちな重要な結果である．これは倍数が幾何的な存在であり，ある周期を持った縞模様として視覚化出来ることを意味している．

では，本書を時計回りに 90 度回転させる準備を！

最下段に全 36 種の積。その上に各数の倍数の列を配置している。

等差数列と関数

1 倍数は機械的に求められることが分かった．ここでは今一度「2 の倍数」を採り上げ，その構造を再考したい．九九の枡目に並んだ 2 の倍数を取り出し，具体的に列挙するには，カンマを区切りの記号として

$$2, 4, 6, 8, 10, 12, 14, 16, 18$$

と表すのが通例であろう．しかし，この表記には単なる倍数の列挙に留まらない拡がりがある．これは「数が列を成している」ところから**数列**，その各要素は**項**と呼ばれる．

参考

　　行列が「行と列」であるのに対して，数列は「数の列」である．「と」と「の」の違いに繊細であれば，両者を混同しないだろう．英語では「row (行)」「column (列)」であり「matrix (行列)」である．SF 映画の『マトリックス』は，縦横に走るネットワークの意味と，語源であるラテン語が持つ「母体・子宮」という二つの意味を重ねて用いていると思われる．一方，数列は「sequence」であり，一続きの連なりを意味する言葉である．

　さて，自然数は番号としても使えた．ここでは数値と番号の別を強調するために，後者を丸囲みする．即ち，単に 1 と書けば四則の対象となる数値であり，①と書けば一番目を表す番号である．番号には「一つ前」だとか「一つ後」だとかいった意味での加・減だけが許されている．

　ところで，2 の倍数には「偶数」という特別の名が与えられていた．ここからは，この別名に沿って話を進める．

偶数に最小値から順に番号を付けると

$$\begin{array}{ccccccccc}
2 & 4 & 6 & 8 & 10 & 12 & 14 & 16 & 18 \\
\uparrow & \uparrow & \uparrow & \uparrow & \uparrow & \uparrow & \uparrow & \uparrow & \uparrow \\
① & ② & ③ & ④ & ⑤ & ⑥ & ⑦ & ⑧ & ⑨
\end{array}$$

こうして番号付けられた数値の列が，数列の一般的な姿である．この番号を用いることによって，数列の値を一意に示すことが出来る．この関係を**関数**という．

2 上記を偶数の列であることを強調して

偶$_①$ = 2， 偶$_②$ = 4， 偶$_③$ = 6， 偶$_④$ = 8， 偶$_⑤$ = 10，
偶$_⑥$ = 12， 偶$_⑦$ = 14， 偶$_⑧$ = 16， 偶$_⑨$ = 18

と表せば便利である．ここで「偶の何番」と指定すれば，その値が一意に決まることを改めて確認しておこう．

先に示したグラフと類似のものであるが，今一度「2 の倍数」の部分のみを取り出し，さらに横軸が番号 (丸囲み数字) であることを明示した形で与えておく．

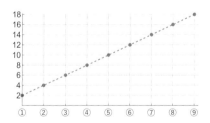

関数は，より一般的に連続的な数に対しても定義される．上のグラフでいえば，横軸の「丸囲み」が取れて連続的な刻みになり，点線が実線に変わる．即ち，**数列は関数の離散的な場合**と見做せるわけである．

等差数列と漸化式

1 数列をより精密に論じるためには，**漸化式**と呼ばれる形式を用いるのがよい．漸化式とは，数列における隣接する二項の関係 (差，あるいは商など) を与えることで，全体を定義するものである．偶数の場合を例に引けば

$$偶_② - 偶_① = 2$$

である．この形式は，全ての隣接二項間で成り立つ．そこで，右辺を**公差**と呼び，この数列を**等差数列**という．従って，等差数列として見た偶数の「公差は 2」となる．

さて，漸化式は無限に拡がる数列の世界を，前後二項の関係に注目することで，見事に切り取ったものである．しかし，一回の計算毎に値が決まっていく漸化式では，一般的な項の値を直接求めることは出来ない．例えば「123 番目の偶数は」という問に即答することは困難である．

2 そこで，**一般項**の値を直接与える表現が欲しくなる．そのために，複数の漸化式を縦に並べて辺々の和を取る．例えば，一つずつ番号をズラした四段重ねを作ると右のようになる．

$$偶_② - 偶_① = 2$$
$$偶_③ - 偶_② = 2$$
$$偶_④ - 偶_③ = 2$$
$$\underline{偶_⑤ - 偶_④ = 2} \ (+$$
$$偶_⑤ - 偶_① = 2×4$$

その結果，各段毎に項が**相殺**されて「初めの 偶_①」と「末尾の 偶_⑤」の二項しか残らない．これは段数に因らない，何段重ねにしても結果は同様である．さらに移項して

$$偶_⑤ = 偶_① + 2×(5 - 1)$$

となる．ここで，「5 のみで全体を書きたい」ので，右辺を
$(5 - 1)$ という形式に直した．なお，偶_① を**初項**と呼ぶ．

　以上の導出過程を振り返っても，太字の 5 に特別の意味
が無いことは明らかである．従って，ここに望みの自然数
を代入出来るという意味で，空所の記号として ◯ を用いた

$$\boxed{偶_◯ = 2 + 2×(◯ - 1)}$$

を得る．なお，この表現には初項の値も含まれていること
に注意する．実際，「番号を 1 ズラした効果」として，◯
に 1 を代入すれば確かに「偶_① = 2」が得られる．

　これより，偶数は「初項 2，公差 2 の等差数列」である
ことが明確になり，欲しい数値が直ちに求められる一般項
の式が求められた．即ち，先の答は以下のようになる．

$$2 + 2×(123 - 1) = 246.$$

3　偶数と奇数では，主に「2 で割り切れるか」「1 余る
か」という違いが強調されるが，数列という立場から見れ
ば，どちらも公差が 2 の等差数列であり，唯一「初項が異
なる (奇_① = 1) だけだ」ということになる．従って

$$奇_◯ = 1 + 2×(◯ - 1)$$

となる．以上の議論は，「3 の倍数」にも「4 の倍数」にも
適用することが出来る．それぞれを漢数字に象徴させれば

$$三_◯ = 3 + 3×(◯ - 1)，\quad 四_◯ = 4 + 4×(◯ - 1)$$

となることも理解出来るだろう．これ以降も同様である．

等比数列とグラフ

　等差数列は「加減に関わるもの」であった. 漸化式は差で定義されており, 一般項は和の形を取っていた. もう一つ代表的な数列の例として, **等比数列**がある. これは「乗除に関わるもの」で, 漸化式が商, 一般項が積の形を取る.

　さて, 同じ数を繰り返し掛けることを**累乗**, あるいは**冪**と呼ぶ. 2 の二乗も三乗も累乗の例であり, これを 2 の冪ともいうのである――「巾」は略字である. 冪は「掛け合わせる数」である**底**と, その右肩に乗る「掛け合わせた回数」を示す**指数**から成る. 即ち, **乗せた数が底であり, 乗った数が指数である**. 例えば, 3^5 は $3×3×3×3×3$ の略記であり, その底は 3, 指数は 5 だということになる.

1　先ずは計算機関連で馴染みが深い 2 の冪の列:

2	4	8	16	32	64	128	256	512
↑	↑	↑	↑	↑	↑	↑	↑	↑
①	②	③	④	⑤	⑥	⑦	⑧	⑨

を採り上げる. スマートフォンの説明書にも, この種の数値が並んでいるので馴染みのある人も多いだろう. 以降, 全て等差数列の例に倣って議論を進める. 先ずは, これが冪の列であることを強調するために, 以下のように表す.

$$冪_① = 2, \quad 冪_② = 4, \quad 冪_③ = 8,$$

$$冪_④ = 16, \quad 冪_⑤ = 32, \quad 冪_⑥ = 64,$$

$$冪_⑦ = 128, \quad 冪_⑧ = 256, \quad 冪_⑨ = 512.$$

　このグラフは急激に上昇するカーブを描くので, 縦横の

比を上手く取る必要がある．ここでも各点間を点線で結んでいるが，増加の割合を強調する以外の意味は無い．

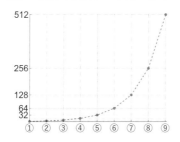

この場合の漸化式は比の形，例えば

$$冪_{②}/冪_{①} = 2$$

で与えられる．5番目までの漸化式を縦に並べ積を取る．以下の全てに共通する値 2 を**公比**という．

$$\begin{aligned}
冪_{②}/冪_{①} &= 2 \\
冪_{③}/冪_{②} &= 2 \\
冪_{④}/冪_{③} &= 2 \\
冪_{⑤}/冪_{④} &= 2 \quad (\times \\
\hline
冪_{⑤}/冪_{①} &= 2^4
\end{aligned}$$

左辺での項の相殺は，実際は単なる約分：

$$\frac{冪_{②}}{冪_{①}} \times \frac{冪_{③}}{冪_{②}} \times \frac{冪_{④}}{冪_{③}} \times \frac{冪_{⑤}}{冪_{④}} = \frac{冪_{⑤}}{冪_{①}}$$

である．全体を整理し，番号を 5 に揃えて以下を得る．

$$冪_{⑤} = 冪_{①} \times 2^{(\mathbf{5}-1)}$$

これを「記号○」により一般化し，$冪_{①} = 2$ を代入して

$$\boxed{冪_{○} = 2 \times 2^{(○-1)}}$$

となる．即ち，2 の冪の列は「初項 2，公比 2 の等比数列」と見ることが出来るわけである．

2 先にも述べたように，急上昇する冪のグラフは全体を捉えることが難しい．そこで，縦軸の冪を等間隔にする目盛がよく用いられる．その結果，グラフは直線となり，容易にその全体像を知ることが出来るようになる．

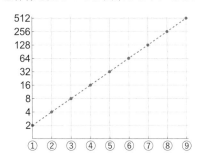

これを**対数目盛**と呼ぶ．指数と**対数**は互いに逆の関係にある．逆の関係がある場合，そこには直線が両者を仲介する姿を垣間見ることが出来る．このように，グラフは目盛一つで，その印象が劇的に変わるので要注意である．

参考 ここでは「公比 2 の等比数列」を扱ったが，最も日常的に使っているのは，公比を 10 とする **10 進数**：

1, 10, 100, 1000, 10000, 100000, 1000000, . . .

である．我々は日頃，驚きの表現として「桁違いの迫力」などと言うが，これを誇大表現としないためには，少なくとも 10 倍以上の "迫力" が欲しいということになる．

九九の和を求める

二倍数の列を数列の考え方を用いて整理した．ここでは，これらの和を考える．即ち，以下の単純な足し算：

$$2 + 4 + 6 + 8 + 10 + 12 + 14 + 16 + 18$$

をせよという問題である．答：90 は直ぐに求められる．しかし，ここではもっと複雑に "分かり難く" する．

1 先ずは俗語「分かり易い」から吟味する必要がある．**"易しい問題を難しく考え，難しい問題を易しく解釈するのが学びの王道，即ち茨の道である"**．多くの人はこの逆をやる．易しい問題を易しく捉え「容易いことよ」と高を括り，難しい問題を難しく考え「何だこれは」と途方に暮れる．これでは何も学べない．実に遠回りである．

倍数の意味に戻れば，上式は次のように書ける．

$$2 \times (1 + 2 + 3 + 4 + 5 + 6 + 7 + 8 + 9).$$

この変形から，3 の倍数でも 4 の倍数でも同様に，「9 までの自然数の総和」さえ求めれば，それを三倍，四倍すればよいことが分かる．即ち，この総和が最も重要である．

これを，数列において用いた**相殺**という仕組みを利用して求める．そのためには，「自明な計算」が手品のタネとして必要である．先ずは，連続する二つの自然数を考える．例えば 4 を基準に 1 を加え，4 を引くと

$$(4 + 1) - 4 = 1 \text{ より, } 5 - 4 = 1$$

となる．同様の計算を五段
重ねにし，辺々を加えると
右のようになる．当たり前
の結果ではあるが，これを
下敷きにさらに工夫する．

$$
\begin{array}{rcl}
\cancel{1} - 0 & = & 1 \\
\cancel{2} - \cancel{1} & = & 1 \\
\cancel{3} - \cancel{2} & = & 1 \\
\cancel{4} - \cancel{3} & = & 1 \\
5 - \cancel{4} & = & 1 \quad (+ \\
\hline
5 - 0 & = & 5
\end{array}
$$

連続する三つの自然数を考え，そこから値が一つだけズ
レた二項の差を作る．例えば，5 を基準に 1 を加えたもの
と，1 を引いたものの差を作って

$$
\mathbf{5}\times(\mathbf{5}+1) - (\mathbf{5}-1)\times\mathbf{5} = \mathbf{5}\times 2 \text{ より，} 5\times 6 - 4\times 5 = 5\times 2
$$

を得る．同種の計算を五段重ねると，以下のようになる．

$$
\begin{array}{rcl}
\cancel{1\times 2} - 0\times 1 &=& 1\times(2-0) = 1\times 2 \\
\cancel{2\times 3} - \cancel{1\times 2} &=& 2\times(3-1) = 2\times 2 \\
\cancel{3\times 4} - \cancel{2\times 3} &=& 3\times(4-2) = 3\times 2 \\
\cancel{4\times 5} - \cancel{3\times 4} &=& 4\times(5-3) = 4\times 2 \\
5\times 6 - \cancel{4\times 5} &=& 5\times(6-4) = 5\times 2 \quad (+ \\
\hline
5\times 6 - 0 &=& (1+2+3+4+5)\times 2
\end{array}
$$

これより，両辺を 2 で割って以下を得る．

$$
1 + 2 + 3 + 4 + \mathbf{5} = \frac{\mathbf{5}\cdot(\mathbf{5}+1)}{2} = 15.
$$

これが所望の関係である——以降，積の略記「·」を併用す
る．この場合も 5 に特別の意味は無い．従って，希望する
自然数を代入すれば，その数までの総和が求められる．

例えば，9 までの和であれば，次のように求められる．

$$
1 + 2 + 3 + 4 + 5 + 6 + 7 + 8 + \mathbf{9} = \frac{\mathbf{9}\cdot(\mathbf{9}+1)}{2} = 45.
$$

従って，九九の表における 2 の倍数の総和は $2 \times 45 = 90$ であり，3 の倍数の総和は $3 \times 45 = 135$ であり，以下同様に続く．その結果，表に登場する全ての数の和は

$$(1 \times 45) + (2 \times 45) + (3 \times 45) + (4 \times 45) + (5 \times 45)$$
$$+ (6 \times 45) + (7 \times 45) + (8 \times 45) + (9 \times 45)$$
$$= (1 + 2 + 3 + 4 + 5 + 6 + 7 + 8 + 9) \times 45$$
$$= 45^2 = 2025.$$

となる．以上で表中の全数の和が求められた．結局この値は「9 までの自然数の総和の二乗」という形：

$$\left(\frac{\mathbf{9 \cdot (9 + 1)}}{2} \right)^2 = 45^2$$

になっていることが分かった．この結果は後で利用する．

2 ところで，総和は数え方によらないはずである．そこで，図のように L 字型に区切り，各々の和を求めてみよう．

9	18	27	36	45	54	63	72	81
8	16	24	32	40	48	56	64	72
7	14	21	28	35	42	49	56	63
6	12	18	24	30	36	42	48	54
5	10	15	20	25	30	35	40	45
4	8	12	16	20	24	28	32	36
3	6	9	12	15	18	21	24	27
2	4	6	8	10	12	14	16	18
1	2	3	4	5	6	7	8	9

結果は次のようになる．なお，式中の「～」は平方数 (太字) を境に「縦の部分と横の部分で同じ数値の並びが続く」

ので，その繰り返しを省略したという意味である．

$(1) + (2 + \mathbf{4} + 2) + (3 + 6 + \mathbf{9} + 6 + 3)$
$\qquad + (4 + 8 + 12 + \mathbf{16} + \sim)$
$\qquad + (5 + 10 + 15 + 20 + \mathbf{25} + \sim)$
$\qquad + (6 + 12 + 18 + 24 + 30 + \mathbf{36} + \sim)$
$\qquad + (7 + 14 + 21 + 28 + 35 + 42 + \mathbf{49} + \sim)$
$\qquad + (8 + 16 + 24 + 32 + 40 + 48 + 56 + \mathbf{64} + \sim)$
$\qquad + (9 + 18 + 27 + 36 + 45 + 54 + 63 + 72 + \mathbf{81} + \sim)$
$\quad = 1 + 8 + 27 + 64 + 125 + 216 + 343 + 512 + 729$
$\quad = 1^3 + 2^3 + 3^3 + 4^3 + 5^3 + 6^3 + 7^3 + 8^3 + 9^3.$

即ち，九九の表に現れる全数の和は，9 までの自然数の三乗の和に等しい．そして，先の結果と組合せれば

$$1^3 + 2^3 + 3^3 + 4^3 + 5^3 + 6^3 + 7^3 + 8^3 + \mathbf{9}^3 = \left(\frac{\mathbf{9} \cdot (\mathbf{9} + 1)}{2} \right)^2$$

が成り立つことが分かった．

3 さて，九九の表の対角線には**平方数**が並んでいた．次に，これらの和を求めてみよう．そのために，先ずは補助的な関係を導く．一つだけズレた連続する三つの自然数の積の組を作り，その差を取る．例えば $5 \times 6 \times 7$ と $4 \times 5 \times 6$ を元に以下の式を作る．これがタネになる．

$$5 \times 6 \times 7 - 4 \times 5 \times 6 = 5 \times 6 \times (7 - 4) = 5 \times 6 \times 3.$$

そして，同種の計算を五段重ねにして，和を取り

$$\begin{aligned}
\cancel{1 \times 2 \times 3} - 0 \times 1 \times 2 &= 1 \times 2 \times (3 - 0) = 1 \times 2 \times 3 \\
\cancel{2 \times 3 \times 4} - \cancel{1 \times 2 \times 3} &= 2 \times 3 \times (4 - 1) = 2 \times 3 \times 3 \\
\cancel{3 \times 4 \times 5} - \cancel{2 \times 3 \times 4} &= 3 \times 4 \times (5 - 2) = 3 \times 4 \times 3 \\
\cancel{4 \times 5 \times 6} - \cancel{3 \times 4 \times 5} &= 4 \times 5 \times (6 - 3) = 4 \times 5 \times 3 \\
5 \times 6 \times 7 - \cancel{4 \times 5 \times 6} &= 5 \times 6 \times (7 - 4) = 5 \times 6 \times 3 \quad (+ \\
\hline
5 \times 6 \times 7 - 0 &= (1 \times 2 + 2 \times 3 + 3 \times 4 + 4 \times 5 + 5 \times 6) \times 3
\end{aligned}$$

を得る．両辺を 3 で割り，整理すると

$$1 \times 2 + 2 \times 3 + 3 \times 4 + 4 \times 5 + \mathbf{5 \times 6} = \frac{\mathbf{5} \cdot (\mathbf{5} + 1)(\mathbf{5} + 2)}{3} = 70$$

という関係が求められる．

　これを利用して，二乗和を求める．基礎になるのは，連続する二数から小さい方の数を引いたもの，例えば，$5 \times 6 - 5$ である．同種の計算を五段重ねて和を取る．

$$1 \times 2 - 1 = 1 \times (2 - 1) = 1^2$$
$$2 \times 3 - 2 = 2 \times (3 - 1) = 2^2$$
$$3 \times 4 - 3 = 3 \times (4 - 1) = 3^2$$
$$4 \times 5 - 4 = 4 \times (5 - 1) = 4^2$$
$$5 \times 6 - 5 = 5 \times (6 - 1) = 5^2 \ (+$$

両端の辺の「縦の和」から，以下の関係が導かれる．

$$1 \times 2 + 2 \times 3 + 3 \times 4 + 4 \times 5 + 5 \times 6 - (1 + 2 + 3 + 4 + 5)$$
$$= 1^2 + 2^2 + 3^2 + 4^2 + 5^2.$$

この式に先に得た関係を代入整理して

$$1^2 + 2^2 + 3^2 + 4^2 + \mathbf{5}^2$$

$$= \frac{\mathbf{5} \cdot (\mathbf{5} + 1)(\mathbf{5} + 2)}{3} - \frac{\mathbf{5} \cdot (\mathbf{5} + 1)}{2} = \frac{\mathbf{5} \cdot (\mathbf{5} + 1)(2 \cdot \mathbf{5} + 1)}{6}$$

を得る．太字の部分のみが変更可能な数値である．そこで，九九の表の対角線の総和は，その部分に 9 を代入して

$$\frac{\mathbf{9} \cdot (\mathbf{9} + 1)(2 \cdot \mathbf{9} + 1)}{6} = 285$$

となる．これは単純な足し算の結果と一致している．

　このようにして，単純な計算結果を頼りに，一般的な結果を得る仕組を作った．以上の結果は，数学の様々な分野で活用される極めて重要なものである．

計算の規則：素数の活用

ここで，計算の規則について簡単にまとめておく．

$$2+3 = 3+2, \quad 2+(3+5) = (2+3)+5, \quad 2+0 = 2,$$
$$2 \times 3 = 3 \times 2, \quad 2 \times (3 \times 5) = (2 \times 3) \times 5, \quad 2 \times 1 = 2,$$
$$2 \times (3+5) = 2 \times 3 + 2 \times 5, \quad 2^1 = 2,$$
$$(2 \times 3)^5 = 2^5 \times 3^5, \quad 2^3 \times 2^2 = 2^{(3+2)}, \quad (2^3)^5 = 2^{(3 \times 5)}.$$

また，上から導かれる関係ではあるが，以下も用いる．

$$(5+3)^2 = (5+3) \times (5+3) = 5^2 + 2 \times 5 \times 3 + 3^2,$$
$$(5-3)^2 = (5-3) \times (5-3) = 5^2 - 2 \times 5 \times 3 + 3^2,$$
$$(5+3) \times (5-3) = 5^2 - 3^2.$$

冪に関して，しばしば話題になるのが**ゼロ乗**の扱いである．「0 回掛け合わせること」の意味とは，冪乗同士の乗除を「肩に乗った数の加減」に変換した際に，自然に持ち込まれた**規則に従った**考え方であり，それが全てである．「同じ数同士の割り算は 1 になる」という当たり前の計算：

$$2^3 \div 2^3 = \frac{2 \times 2 \times 2}{2 \times 2 \times 2} = 1 \;\text{より}, \; 2^{3-3} = 2^0 = 1$$

が導き出される．ここで，2 が持つ性質は何も使っていないので，全ての「0 乗は 1 になる」ということになる．

本書では，著者が "素数係数法" と呼んでいる手法を用いている．例示する数を素数にしておくと，少なくとも乗除に関しては，文字計算同様に「痕跡」が残り，元に戻すことが出来るので，検算が可能になり便利なのである．

第3章　　　　　　　　　　計算の技法

　　ここまでに紹介してきた計算の中で使われている細かな技術について，改めて考えておこう．基本はなお自然数であるが，少しずつ枠を拡げ，次なる発展の準備をしていく．

　　「手筋」とは囲碁・将棋において使われる用語であり，局所的な優位を得るために使われる効果的な着手のことである．同様の趣旨で「定跡」という言葉もあるが，こちらは大局的な優位を得るために構想されたものである．

　　計算においても，自在に使えるようにしておくべき「手筋」がある．それは，根本的な計算の規則を元に，それを「何手一組」かにしてまとめたものである．

相殺の仕組

1　和における項の**相殺**は，様々な場面で基本的な技術として活用されている．パズル的な面白さを強調しているわけではない．対象に対する柔軟な見方を育むための一つの手法として捉えて頂きたい．例えば，分数の**通分**：

$$\frac{1}{2} - \frac{1}{3} = \frac{1}{6}$$

は左辺・右辺の交換により「相殺のタネ」になる．即ち

$$\frac{1}{2\times3} = \frac{1}{2} - \frac{1}{3}$$

である．これは**部分分数分解**と呼ばれる技法の最も単純な例である．同種の関係を並べ，総和を取って

$$
\begin{aligned}
1/(1\times2) &= 1/1 - 1\!\!\!/2 \\
1/(2\times3) &= 1\!\!\!/2 - 1\!\!\!/3 \\
1/(3\times4) &= 1\!\!\!/3 - 1\!\!\!/4 \\
1/(4\times5) &= 1\!\!\!/4 - 1\!\!\!/5 \\
\underline{1/(5\times6)} &= \underline{1\!\!\!/5 - 1/6} \quad (+
\end{aligned}
$$

$$\frac{1}{1\times2} + \frac{1}{2\times3} + \frac{1}{3\times4} + \frac{1}{4\times5} + \frac{1}{5\times6} = \frac{1}{1} - \frac{1}{6} = \frac{5}{6}$$

を得る．一つ違いの項があれば，このような「中間項相殺型」とも呼べる簡略化が出来る可能性がある．

2 続いて「触媒型」と呼びたくなる以下の値を求めよう．

$$\left(1+\frac{1}{2}\right)\left(1+\frac{1}{2^2}\right)\left(1+\frac{1}{2^4}\right)\left(1+\frac{1}{2^8}\right).$$

これだけでは何も起こらないが，"触媒"として $(1-1/2)$ を掛けると，先ずは先頭項と"反応"が起こり，それは順に後ろへと伝播していく．所謂「和と差の積」である．

$$
\begin{aligned}
&\left(1-\frac{1}{2^2}\right)\left(1+\frac{1}{2^2}\right)\left(1+\frac{1}{2^4}\right)\left(1+\frac{1}{2^8}\right) \\
&= \left(1-\frac{1}{2^4}\right)\left(1+\frac{1}{2^4}\right)\left(1+\frac{1}{2^8}\right) \\
&= \left(1-\frac{1}{2^8}\right)\left(1+\frac{1}{2^8}\right) = 1-\frac{1}{2^{16}}.
\end{aligned}
$$

これを $(1 - 1/2)$ で割り算 (即ち 2 を掛け算) して，所望の結果を得る．掛けて割って，簡略化にのみ貢献して自身は跡形も無く消え失せる．触媒と呼ぶ所以である．

0 の変形・1 の変形

しかし，最も汎用性の高い "最強の触媒" は他にある．多くの人がほとんど無意識に使っている 0 と 1 である．

1 先ずは，0 から始めよう．等号「=」が結ぶ左右の辺に，それぞれ同じ数を足しても，引いても，掛けても，割っても，そのバランスは崩れない．等号はそのまま成立する．唯一の例外として，「0 での割り算」のみ除外される．

計算の基本的な規則として，例えば「$2 + 0 = 2$ (あるいは $0 + 2 = 2$)」が挙げられる．これは計算の途中に 0 を足しても (引いても)，結果は変わらないことを示している．

あらゆる所に 0 は隠れているので，望みの所に 0 を挟むことが出来る．**加減における 0 は**，この意味で特別な存在である．このことを利用して，「様々に変形させた 0」を使って，計算がより楽に，またミス無く出来るように，与えられた式を書き換えることが出来るわけである．

例えば，$6 + 5$ に対して，$0 = 4 - 4$ を挿入して

$$6 + 5 + \mathbf{0} = 6 + 5 + \underline{4 - 4}$$
$$= (6 + 4) + (5 - 4)$$
$$= 10 + 1 = 11$$

と変形することが出来る――これらを頭の中で処理出来る人も多いだろう．次は暗算でやるには少し難しい．

$$\begin{aligned}
51^2 + 50^2 &= 51^2 + 50^2 + \mathbf{0} \\
&= 51^2 + 50^2 + \underline{2 \times 51 \times 50 - 2 \times 51 \times 50} \\
&= (51^2 - 2 \times 51 \times 50 + 50^2) + 2 \times 51 \times 50 \\
&= (51 - 50)^2 + 2 \times 51 \times 50 \\
&= 1^2 + 51 \times 100 = 5101.
\end{aligned}$$

四行目の結果を見越して，それに応じた **0** を作った．

　問題に何か不足する部分がある時，あるいは余る部分がある時，それを補うように「上手い **0**」を見出して，それを挿入するわけである——この過不足が直ちに判断出来るようになるには，多くの例に接する必要がある．

2　加・減において有効な手筋が「0 の変形」であった．次に，乗・除において有効な「1 の変形」を紹介する．

　基本的な計算規則と考えられる，例えば「$2 \times 1 = 2$」において明らかなように，乗算・除算においては，1 を掛けても，1 で割っても結果は不変である．このことを利用するために，問題に応じて必要とされる形に 1 を変形する手法をこの名で呼ぶ．問題は，主に**分数**の形で現れる．

　分数とは "二階建ての数" である．この建屋における一階の住人を分母，二階の住人を分子と呼ぶ．分子と分母が等しい分数は，以下に示すように全て 1 である．

$$\frac{2}{2}, \quad \frac{3}{3}, \quad \frac{4}{4}, \quad \frac{\frac{1}{2}}{\frac{1}{2}}, \quad \frac{\frac{1}{3}}{\frac{1}{3}}, \cdots$$

即ち，これが「1 の変形」の具体例である．分子・分母が「分数の入れ子」になっていても全く同様である．

このようにして 1 を見直すと，そこには無限の可能性が潜んでいることが分かってくる．あらゆる所に 1 は隠れている．逆に見れば，あらゆる所に 1 を挟むことが出来る．**乗除における 1 は，この意味で特別な存在である．**

さて，分数とは何だろうか．分数は割り算の別表現と見做せる．同じ数での割り算は常に 1 であるから

$$2 \div 2 = 1 \text{ より } \frac{2}{2} = 1, \quad 3 \div 3 = 1 \text{ より } \frac{3}{3} = 1, \dots$$

となる．即ち，左の形式 (除法) から，右 (分数) に書き直したというだけの話になる．従って，分数の入れ子：

$$\frac{1}{2} \div \frac{1}{2} = 1 \text{ から } \frac{\frac{1}{2}}{\frac{1}{2}} = 1, \quad \frac{1}{3} \div \frac{1}{3} = 1 \text{ から } \frac{\frac{1}{3}}{\frac{1}{3}} = 1$$

も同じ考えにより，容易に理解出来るだろう．また，割り算の記号「÷」も次第に使われなくなり，その代わりに「/」が増えてくる——既に本書でも，1/2, 1/3 などとして用いている．これは分数の「横棒を斜めにしたもの」と理解すれば，割り算の記号とも，分数の記号とも読めるだろう．

3 「1 の変形」が最も有効に機能する場は，通分である．その初手は，「通しの分母」を作ることにある．例えば

$$\frac{1}{2} + \frac{1}{3}$$

における，両者の分母の形を見て，以下のように変形する．

$$\frac{1}{2} \times \mathbf{1} + \frac{1}{3} \times \mathbf{1} = \frac{1}{2} \times \frac{3}{3} + \frac{1}{3} \times \frac{2}{2} \left(= \frac{3}{6} + \frac{2}{6} = \frac{5}{6} \right).$$

よって，分数における難所は次のように要約される．

通分とは「上手い **1**」を見付けて，それを挟むこと
約分とは「隠れた **1**」を見付けて，それを略すこと

である．これはそのまま「分母の最小公倍数を見付けること」「分子・分母の最大公約数を見付けること」だと言い換えられる．この問題に関しては，後の章でまた触れる．

階乗と再帰

さて，話は僅かに逸れるが，繰り返し登場してくる「連続する自然数の積」の性質について，少し調べておこう．

1 先ず，連続する二数の場合であるが，偶数が一つおきに登場することを考えれば，これが直ちに「2 の倍数」であることが分かる．例えば

$$1 \times 2 = 2, \quad 2 \times 3 = 6, \quad 3 \times 4 = 12, \quad 4 \times 5 = 20$$

など全て偶数である．これは以下の図でも明らかである．長さ 2 の定規 (下段の黒色ブロック) を当てれば，どのように工夫しても必ずその中に偶数を含んでしまう．

1	2	3	4	5	6	7	8	9	10	11	12	13	14	15	16	17	18	19	20
				■	■						■	■							

連続三数の場合はどうか．長さ 3 の定規は，その中に必ず「3 の倍数」を含み，さらにそこには「2 の倍数」も存在する．その結果，積は「6 の倍数」ということになる．

1	2	3	4	5	6	7	8	9	10	11	12	13	14	15	16	17	18	19	20
1	2	3	4	5	6	7	8	9	10	11	12	13	14	15	16	17	18	19	20

この議論は幾らでも続けていくことが出来て，その結果も予想通りのものとなる．連続する二数は2を含み，三数は3と2を含み，四数は4と3と2を含む「24の倍数」となる．従って，連続する9個の自然数の積は

$$9{\times}8{\times}7{\times}6{\times}5{\times}4{\times}3{\times}2{\times}1 = 362880$$

の倍数である．1にまで至る連続な自然数の積は，様々な場面で登場する重要な数なので，特に**階乗**という名前が付いている．これを「!」記号を後置して書く．この場合であれば，「9!」と書き「9の階乗」と読むわけである．

2　階乗は，典型的な**再帰**(入れ子)の構造を持っている．例えば，5!であれば「5掛ける4!であり，4!は4掛ける3!であり」という連鎖を示す再帰部と，最後に「1!とは1である」という基底部の存在によって，全体が定義されている．

$$\left.\begin{array}{l} 5! = 5{\times}4! \\ 4! = 4{\times}3! \\ 3! = 3{\times}2! \\ 2! = 2{\times}1! \end{array}\right\} \Rightarrow \begin{array}{l} \text{再帰部}：5! = 5{\times}(5-1)! \\ \text{基底部}：1! = 1 \\ \text{即ち, } 5! = 5{\times}4{\times}3{\times}2{\times}1 \end{array}$$

コンピュータ言語の教科書では，この階乗の定義をプログラムに置き換えるところから始めるのが定番である．

　階乗は爆発的に大きくなる —— 70!は10^{99}を超える．そこで，およその大きさを見積もったり，約数を求めたりする場合には，これを素数の積に分解する．例えば

$$9! = 3^2{\times}2^3{\times}7{\times}(2{\times}3){\times}5{\times}2^2{\times}3{\times}2{\times}1 = 2^7{\times}3^4{\times}5{\times}7$$

とする．ここで$2{\times}5$を括り出せば，末尾に幾つ0並ぶか

が分かる．また，何回 2 で割れるか，3 で割れるかといった約数に関する計算も，この形式によれば明快である．

途中までの積を必要とする場合も多い．例えば，「9 から降りる 4 個の積」であれば，「1 の変形」を用いて

$$9 \times 8 \times 7 \times 6 = 9 \times 8 \times 7 \times 6 \times \frac{5!}{5!} = \frac{9!}{(9-4)!}$$

とする．これより，全体を 9 と 4 のみで書くことが出来た．

これは，選択肢の数を「木」に模して表す**樹形図**と密接に関係している．即ち，最初の選択肢が 9 個あり，その各々に 8 個の選択肢があり…順に 6 まで続く時の選択肢の数，あるいは「異なる 9 個のものから 4 個を取り出し，順序を付けて一列に並べた，並べ方の総数」を表している——この結果は容易に一般化される．これを**順列**という．

総和と近似値

ここで自然数の和についてまとめておく．上から順に「自然数の総和」「二乗の総和」「三乗の総和」である．

$$1 \ + 2 \ + \cdots + \square \ = [\square \times (\square + 1)]/2,$$
$$1^2 + 2^2 + \cdots + \square^2 = [\square \times (\square + 1) \times (2 \times \square + 1)]/6,$$
$$1^3 + 2^3 + \cdots + \square^3 = ([\square \times (\square + 1)]/2)^2 .$$

ここで，□は自然数が入る空所である．

以上の式には，似ている部分もあれば異なる部分もある．今，□に代入する数が「非常に大きい」とする．大小関係は相対的なものであるから，何を根拠に大きいかという問題が生じるが，それは「結果から逆算する」として，

非常に大きい自然数に対して

$$\square + 1, \quad \text{あるいは} \quad 2 \times \square + 1$$

における 1 は「大きな役割」を持たない．10 と 11 におけ
る 1 と，100 と 101 における 1，さらに 1000 と 1001 にお
ける 1 では，結果に与える影響が大きく異なるということ
である．そこで，代入する数値が大きい場合，この 1 を省
略するという近似を行うことにすると，「$\square + 1$」は $\square$ に，
「$2 \times \square + 1$」は $2 \times \square$ と見做せる．この関係を用いて，先の
三式を書き直すと，以下のようになる．

$$1 \ + 2 \ + \cdots + \square \ \approx \square^2/2,$$
$$1^2 + 2^2 + \cdots + \square^2 \approx \square^3/3,$$
$$1^3 + 2^3 + \cdots + \square^3 \approx \square^4/4.$$

ここで，記号「$\approx$」は両辺が似ているという意味である．

　これは著しい結果である．大きな数の総和を知りたい場
合，複雑な式に頼らなくとも，右辺の簡単な形の近似式で
用が足りるというわけである．特に，自然数の総和の場
合，「近似式は二乗を 2 で割ったもの」に，二乗の場合には
「三乗を 3 で割ったもの」に，三乗の場合には「四乗を 4
で割ったもの」になっている．素晴らしい統一性である．

　では，どれくらいが「大きな数」なのか，近似はどの程
度なのかという疑問が残る．次にそれを考えてみよう．

面積による近似法

　そこで，再び自然数の総和に関する話題に戻る．ここ
では先の結果を幾何的に考察してみよう．

1 右図のように，幅 1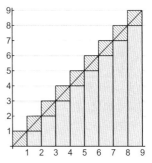
の長方形を考えれば，高
さがそのまま面積にな
る．従って，前に位置す
る 8 個の「塗り長方形」
の面積は，高さ 8 までの
総和：36 になる．一方，
奥に控える 9 個の「斜線
長方形」の全面積は，9 までの総和：45 となる．

また，二種類の長方形の間を縫って，直角二等辺三角形
が描かれている．明らかにこれらの面積の大小関係は

$$\underbrace{\text{塗り長方形}}_{8\,\text{個}:\,36} < \underbrace{\text{直角二等辺三角形}}_{40.5} < \underbrace{\text{斜線長方形}}_{9\,\text{個}:\,45}$$

である．実際，挟まれた三角形の面積は「底辺×高さ÷2」
より，$9^2/2 = 40.5$ となり，確かに不等式を充たしている．

しかし，この面積を総和とするには誤差が大きい．正
解：45 との比を取ると 0.9．即ち真値の 90% 程度の近似
である．そこで九九の縛りを外し，もう少し大きな数での
結果を調べる．例えば，100 までの総和の場合であれば

$$\underbrace{\text{塗り長方形}}_{99\,\text{個}:\,4950} < \underbrace{\text{底辺 100 の三角形}}_{5000} < \underbrace{\text{斜線長方形}}_{100\,\text{個}:\,5050}$$

と求められる．かなり近似が良くなってきた．この場合，
5000/5050 で約 99% である．1000 までの総和であれば

$$499500 < 500000 < 500500$$

となり，さらに精度は上がって 99.9% になる．

以上の話の流れとは逆に,「三角形の面積」を知らない
ものとして,大量の長方形によって内側と外側から挟み,
その値を求めようとする試みが積分である.線の傾きを求
める手法が微分であり,面積を求める手法が積分であると
して,当面は問題は無い.しかし,その本質は両者が互い
に逆の関係にあるところにある.

2 続いて,先例と同様
に「短辺 1 の長方形」を間
の線を挟むように並べ,
前の 8 個と奥の 9 個の長
方形の面積の値を両端と
する不等式を与える.こ
れにより,二乗和の近似
式:「三乗÷3」の精度を
考察することが出来る.その結果

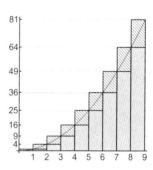

$$8 \times (8+1) \times (2 \times 8+1)/6 = 204 \cdots 長方形,$$
$$9^3/3 = 243 \cdots 近似式,$$
$$9 \times (9+1) \times (2 \times 9+1)/6 = 285 \cdots 長方形$$

を得る.精度は悪く 243/285 より,およそ 85.3% 程度で
ある.そこで,外側の長方形を 99 個にすると

$$318549 < 323433 < 328350$$

となり,98.5% まで上昇する.最後に 999 個にすると

$$331835499 < 332334333 < 332833500$$

となる.この場合,近似の度合は 99.9% である.

3 結果を見ると，長方形の個数を増やせば，より高い精度が実現出来そうである．実際，これを無限大にまで拡張して精密化したものが積分なのである．その極限では，結果は近似ではなく正確な値を与えるものへと昇格する．

連続的な数にまで拡張した時，二乗のグラフは放物線と呼ばれる曲線を成すが，その放物線と横軸で囲まれた面積の正確な値は，正に「三乗÷3」で与えられる．

指を折って数えられる「離散」と，数えられない「連続」では，圧倒的に前者が易しいと思われがちであるが，解法に一定のパターンが存在し，特別のアイデア無しで処理出来るのは，むしろ連続の方である．その一端が，ここで議論した "近似が近似でなくなる過程" に現れている．

逆関数と無理数

1 放物線のグラフを軸に，その読み方から「順と逆の問題」について考える．数学における「逆」の重要性は再三述べてきた．ただし，ここで言う「逆」とは「互いに逆の関係にある二つで一つの組」のことを指すので，「どちらが順で，どちらが逆か」といった見方はしない．

放物線を描く元となる数の関係は，二乗の関係であった．ある数を定めた時，確実に一つの数が定まる関係を関数というのであった．その意味で放物線は，二次関数のグラフとも呼ばれている．二乗の「二」から二次，一乗の「一」から一次を取り，**二次関数**，**一次関数**と呼ぶ．一次関数のグラフは，既に紹介した直線のグラフである．

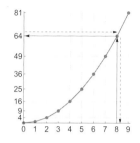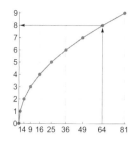

　さて，その対応関係の読み取り方であるが，上の左図に
注目したい．通例，このように表記した場合，先ずは横軸
の数値を読み，そこから縦に伸ばしてグラフとの交点を探
る．そして，そこから横に伸ばして縦軸との交点を求め，
その値を読むという手順を踏む．実線の矢印が示す通りで
ある．8の二乗を知りたければ，この手順により 64 と求
められるということである．この意味で，グラフは指でな
ぞって答が得られる「紙の計算機」である．

2　縦軸・横軸には本来相対的な意味しかないのである
が，このような表記の場合，横から縦へと進む．その一方
で，「二乗して 64 になる数は何か」という問もある．その
時は，左図の縦軸からグラフを経て，横軸に至れば，答が
得られる．この動きは図の点線の矢印が示している．これ
で何も困ることはないのであるが，仮に横から縦に読むと
いう慣例に従いたければ，縦・横の役割を変えるしかない．

　そこで右図の表現となる．横軸の 64 から縦の 8 が読み
取れる．全く同じグラフであるが，呼び名は「**無理関数の
グラフ**」と変わる．互いに逆の関係にある関数を**逆関数**と

いう．この場合なら，「二次関数の逆関数は無理関数」であり，「無理関数の逆関数は二次関数」である——今は「正の数」しか考えていないので，話はこのように単純になる．

　右図は，二つの関数を一枚に収め，X 表記したものである．互いに逆関数である二つの関数は，右上がり 45 度の直線に対して対称になる．それらはこの表記では左右対称のグラフになる．

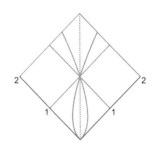

3　上図において，右側の軸 (元横軸) を 2 まで辿り，グラフとの交点から左側の軸 (元縦軸) に至れば，その値はおよそ 1.5 程度になることが読み取れるだろう．これが 2 の平方根，$\sqrt{2}$ のおよその値である．30 桁の精度では

$$\sqrt{2} \approx 1.41421356237309504880168872421$$

である．これは，底辺が 1 の直角二等辺三角形の斜辺の長さであり，分類としては**無理数**に属する数である——こうして無理数の値と直接に関わっていることから，上の関数を無理関数と呼ぶのである．無理数とは「分数の形式では書けない数」という意味であり，それは例えば

$$(1.4)^2 = 1.96,$$
$$(1.41)^2 = 1.9881,$$
$$(1.414)^2 = 1.999396,$$
$$(1.4142)^2 = 1.99996164,$$
$$(1.41421)^2 = 1.9999899241$$

という形式で近似されるが，これを特定の桁で打ち切る限り，右辺が決して2そのものになることはない――当面は「二乗すれば2になる数」という理解で充分である.

グラフの全体像

1　連続的な関数の表現として，「点を線で結んだもの」は紹介済みである．次は，負の数の領域をも含めた「グラフの全貌」に迫ろう．扱うのは二次から五次までの四つのグラフである――これらを一挙に扱うことが大切である.

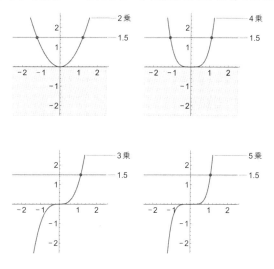

　上段左が二次，右が四次，下段左が三次，右が五次関数のグラフである．一目瞭然であるが偶数次数である上の二枚は縦軸に関して左右対称であり，奇数次数の下の二枚は原点に関して対称である．また，偶数次数の場合，曲線は

横軸から上の部分のみに存在する．これに対して奇数次数の場合には，曲線は横軸を跨いで上下に拡がっている．この辺りの事情は，-1 を巡る次の単純な関係：

$$(-1)^2 = 1, \quad (-1)^3 = -1, \quad (-1)^4 = 1, \quad (-1)^5 = -1$$

に尽くされているとも言えるだろう．

　また，偶数次数の場合，縦軸の値 (図では 1.5) を一つ決めても，それに対する横軸の値は，正と負の二種類がある．一方，奇数次数の場合には，縦軸の値を如何に選ぼうとも，対する横軸の値は唯一つに決まる．両者の違いを意識することが，逆関数の議論の土台になる．

2　因みに，先に 2 の冪について紹介した際に，指数と対数が逆の関係であることを述べた．両者は共に**指数関数，対数関数**として広く使われている．右図の左が指数関数，右が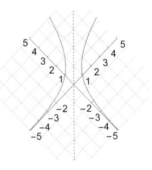対数関数である．両関数が互いに逆関数であることは，X 表記において左右対称であることから明白である．

　これも二乗と無理数の関係と同様に，具体的な数値を元に考えればよい．例えば，2 の冪が，$2^2 = 4,\ 2^3 = 8,\ 2^4 = 16$ と続いていくことは，既にグラフを描いて確かめている．この時，逆の関係として，「2 を何回掛け算すれば 8 になるか」という問が可能であろう．即ち，指数関数が，底

70

の指数乗 (掛け算の繰り返し回数) から値を定める計算であるのに対して，対数関数とは，同じ底に対して8になる指数を求める計算である．この場合であれば，8の「底2に関する対数は3」ということになる．

　本書冒頭から指摘しているように，数学には「対の表現」が溢れている．また，見方を変えるだけで，本来とは異なる意味での対になる組合せもある．何れにしても，可能な限り "対は対として同時に学ぶべきもの" である．

余りによる分類

　ここまでは四則計算の中でも，計算順序の交換が可能な加法と乗法を中心に説明してきた．この交換の重要性というものを，我々は直観的に把握しているためか，日常の言葉遣いの中でも「どうも減法と除法の評判は宜しくない」のである．とりわけ除法は散々である．

1　ある種の諦めを伴って「割り切っていこう」と言い，なお未練が残る時には「どうにも割り切れない」などと言う．「残り物には福がある」とはよく聞くが，「余り物」には何も無いのだろうか．「綺麗に割り切れた」と喜ぶ腹の底には，「厄介者の余り」を忌避する感覚がある．

　確かにその表記もいささか冴えない．小学校での表記：

$$7 \div 3 = 2 \cdots 1.$$

　　被除数　除数　商　剰余

も更新されないまま，中学以降は数の拡張が主となる．

　用語の商も剰余も，和・差・積ほどには使われない．記

号「÷」も認知度は高くとも利用率は低く，大半は「スラッシュ /」で代替されている．元より汎用キーボードにこの記号は存在しない．あるのは電卓のみである．従って，この記号が直接扱えるプログラム言語は皆無だろう．

　ところが，である．この除法，その中でも嫌われ者の代表のように扱われている「余り」が，無限を束ね，拡がる数の世界をこの掌中に収めてくれるのである．

　先ずは，先の例を掛け算によって書き直そう．

$$7 = 2 \times 3 + 1.$$
被除数　商　　除数　剰余

全く同じ内容ではあるが，こちらの方が見やすいと感じる人も多いだろう．勿論，これは実際の計算処理を手順のまま数式化したものではないので，比較することに意味は無い．「割り算が一工夫で掛け算になる」というのは，あくまでも形式上の問題である．

2　ここで商に全く興味が無いという状況を考えよう．例えば，正午に「では 25 時間後に」と言われたとする．これは「明日の午後 1 時の再会」を約束したことを意味する．また，「では 49 時間後に」と言われた場合ならどうか．日付はさらに変わるが，「午後 1 時」に会うことには変わりがない．こうした例は，週でも月でも年でも同様に作れる．

　周期性のある流れの何周目かという部分を無視して，そこからのズレだけに注目するのは，よくある話である．これは「時計代数」とも呼ばれているが，それを表す独特の記号があるので，先ずはそれを紹介しよう．次式である．

$$7 \equiv 1 \pmod{3}$$

被除数　剰余　　除数

　ここで **mod.** はモジュロ (modulo) と読み，**法**とも訳されているが，後に続く数が「除数であること」を示すためのものである．また，等号の代わりに中置きされている記号「≡」は **合同**である——既に紹介済みであるが「幾何学における合同」と全く同じ記号で，同じ読みである．

　全体としては，「法 3 で，7 と 1 は合同である」と読む．具体的には「7 を 3 で割った余りと，1 を 3 で割った余りが等しい」ことを表している．従って，「何で割ったか」が重要であり，それなくして単に「7 と 1 が合同」であるとは言えない．例えば「7 を 4 で割れば余りは 3」である．

　数の分類という見方を強調すれば，「7 と 1 は 3 で割った時に等しい余りを持つグループに属している」ということである．即ち，合同とは「剰余によって数を分類する手法」である．先の待ち合わせの例に戻れば

$$25 \equiv 1 \pmod{24}, \quad 49 \equiv 1 \pmod{24}$$

となる．先に議論した合同における「等しさ」の定義から，法 24 の世界において 25 は 1 と同類に属し，49 もまた 1 と同類であることから，$25 \equiv 49 \pmod{24}$ も成り立つ．

　より身近な例を引けば，2 で割り切れる (余り 0) のが偶数，1 余るのが奇数であるから，例えば

$$1 \equiv 1 \pmod{2}, \quad 2 \equiv 0 \pmod{2},$$
$$3 \equiv 1 \pmod{2}, \quad 4 \equiv 0 \pmod{2},$$
$$5 \equiv 1 \pmod{2}, \quad 6 \equiv 0 \pmod{2},$$
$$7 \equiv 1 \pmod{2}, \quad 8 \equiv 0 \pmod{2}$$

と表すことが出来る．これによって，無限に存在する自然数が，偶数・奇数という二種類に分類されたわけである．もし，自然数を3で割れば，その剰余は0, 1, 2の三種類になるので三分割が，4で割れば剰余は0, 1, 2, 3の四種類になるので四分割が為されるということである．

九九と合同

さて，上記のように多くの合同式を記述する必要が生じた場合，そのそれぞれに「mod.2」を並べるか，あるいは「以下は全て mod.2」と附記するかの何れかである．これらは，最も重要な要素である「除数を書き忘れない」という点では優れているが，多くの場合において煩雑である．

そこで著者は，除数を合同記号の上に配置する次の独自表記を推奨している――ただし，他の記号の場合も同様であるが，公的な場面 (試験など) で断りもなく使えば減点の対象にしかならないので要注意である．例えば

$$25 \overset{24}{\equiv} 1, \qquad 7 \overset{2}{\equiv} 1$$

と書く．これならば忘れる心配も無く，場所も取らない．特に，大量の計算を行う際に，本記号の真価が発揮されるだろう．合同式には，等式と類似した部分と，そうでない部分が混在している．ここでは，そうした問題は後に残し，剰余を軸にした計算の「略記」としてのみ用いる．

最後に，九九を「合同」により分類しよう．除数は 2, 4, 6 として，各剰余によって分ける．表は幾何的な表現であるから，数の持つ周期性が縞模様の形で現れる．

2 で割り切れる数 (偶数)

x	1	2	3	4	5	6	7	8	9
9		18		36		54		72	
8	8	16	24	32	40	48	56	64	72
7		14		28		42		56	
6	6	12	18	24	30	36	42	48	54
5		10		20		30		40	
4	4	8	12	16	20	24	28	32	36
3		6		12		18		24	
2	2	4	6	8	10	12	14	16	18
1		2		4		6		8	

2 で割って 1 余る数 (奇数)

x	1	2	3	4	5	6	7	8	9
9	9		27		45		63		81
8									
7	7		21		35		49		63
6									
5	5		15		25		35		45
4									
3	3		9		15		21		27
2									
1	1		3		5		7		9

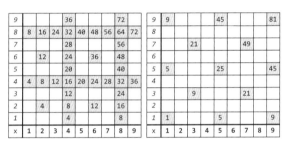

4 で割り切れる数

x	1	2	3	4	5	6	7	8	9
9				36				72	
8	8	16	24	32	40	48	56	64	72
7				28				56	
6		12		24		36		48	
5				20				40	
4	4	8	12	16	20	24	28	32	36
3				12				24	
2		4		8		12		16	
1				4				8	

4 で割って 1 余る数

x	1	2	3	4	5	6	7	8	9
9	9				45				81
7			21				49		
6									
5	5				25				45
4									
3			9				21		
2									
1	1				5				9

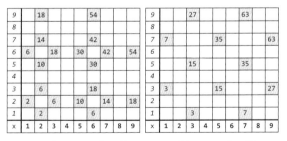

4 で割って 2 余る数

x	1	2	3	4	5	6	7	8	9
9		18				54			
8									
7		14				42			
6	6		18		30		42		54
5		10				30			
4									
3		6				18			
2	2		6		10		14		18
1		2				6			

4 で割って 3 余る数

x	1	2	3	4	5	6	7	8	9
9			27				63		
8									
7	7				35				63
6									
5			15				35		
4									
3	3				15				27
2									
1			3				7		

×	1	2	3	4	5	6	7	8	9
9		18		36		54		72	
8			24			48			72
7						42			
6	6	12	18	24	30	36	42	48	54
5						30			
4			12			24			36
3		6		12		18		24	
2			6			12			18
1						6			

6 で割り切れる数

×	1	2	3	4	5	6	7	8	9
9									
8									
7	7						49		
6									
5				25					
4									
3									
2									
1	1						7		

6 で割って 1 余る数

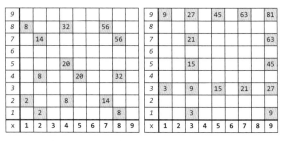

×	1	2	3	4	5	6	7	8	9
9									
8	8			32			56		
7		14						56	
6									
5				20					
4		8			20			32	
3									
2	2			8			14		
1		2						8	

6 で割って 2 余る数

×	1	2	3	4	5	6	7	8	9
9	9		27		45		63		81
8									
7			21						63
6									
5			15						45
4									
3	3		9		15		21		27
2									
1			3						9

6 で割って 3 余る数

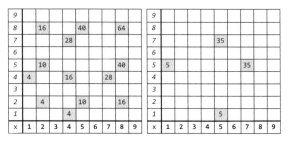

×	1	2	3	4	5	6	7	8	9
9									
8		16			40			64	
7				28					
6									
5		10						40	
4	4			16			28		
3									
2		4			10			16	
1				4					

6 で割って 4 余る数

×	1	2	3	4	5	6	7	8	9
9									
8									
7					35				
6									
5	5						35		
4									
3									
2									
1					5				

6 で割って 5 余る数

第4章　　　　　　　　　　　　数を選ぶ

　前章までは，九九を中心に据えて，その表から読み取れること，さらにその先にあることを簡単に扱った．本章では，数全体を束ねる規則を考え，その規則から様々な数が選び出されていく様子を見ていく．

等号が結ぶもの

　本書では「計算」という言葉に，一般に使われている意味に加えて，ある「含み」を持たせている．例えば，以下の式を眺めて何を感じられるであろうか．

$$\frac{1}{2} + \frac{1}{3}.$$

分数の指導には多くの真摯な研究があり，様々な教育的工夫も世に溢れている．しかしながら，今なお小学校教育の関門だという指摘もある．問題は何処にあるのだろうか．

1　「答は？」と聞かれれば，その関門を容易に潜り抜けた人達なら，5/6 と答えるだろう．さて実際に聞いてみたところ，「何を今更！」と言わんばかりに，苛立ち気味に即答した正解者も居れば，久々の「関門」の前にたじろぎ，

誤答する人も居た．これ皆全て成人の話である．

　では，逆はどうか．「足して 5/6 となる二つの分数を求めよ」と問うてみた．果たして，意表を突かれたのであろうか，苛立ち気味だった人も一つ呼吸を飲み込み冷静になった．案外これが手強いのである．

$$\overset{\text{易しい}}{\underset{\text{難しい}}{\frac{1}{2} + \frac{1}{3} = \frac{5}{6}}}.$$

左から右へは容易くとも，右から左へは難しい．そもそも何らかの条件を加えなければ，答が一つに決まらない場合も多い．例えば，「足して」ではなく，「二つの分数に分解せよ」というだけの問なら，以下の分数の組も答になる．

$$\frac{5}{6} = \frac{3}{2} - \frac{2}{3}.$$

分母を限定しない限り，このような組は幾らでも作れる．

2　等号が主役を演じる式を**等式**という．等号の左側を左辺，右側を右辺と呼ぶことから，左辺を左岸，右辺を右岸に譬えれば，等号は両岸を結ぶ橋にも見える．

「二本の平行線」という等号の図形的な特徴が，この見立てを後押しする．等号とは，両辺の数学的バランスが取れ

ていることを示す記号である．従って，結果だけを捉えれ
ば，左右の辺を入れ替えても構わない．しかし，そのバラ
ンスを具体的に示す方法には，明らかに難易の差がある．

　さらに譬えれば，真上から見れば，単に両岸を結ぶ真っ
直ぐな橋であるが，真横から見れば，「そこに大きな高低
差がある」ということである．左岸から右岸へは下り坂，
逆は上り坂である．「通行不能」「一方通行」とまでは言え
ないが，この高低差が往来を難しいものにしている，とい
う解釈である．ここに重要な問題が隠れている．

計算と解法

1　次の例はどうだろうか．2×3である．答は勿論 6 で
ある．しかし，何故 6 だと分かったのか．これは単純な
「計算の結果」である．「九九の一つだから」という人も多
いだろう．確かに，これは「計算」である．左辺から右辺
へと流れる計算の結果として，答を得たわけである．

　では，この場合も逆を考えよう．「2 に掛けて 6 になる
数は何だろうか」という問である．即ち，2×□＝6 であ
る．「にさんがろく」と一瞬で答を出した人も，逆は一瞬で
はない．どんなに僅かであっても，逆には時間が掛かる．
前問は「計算」である．それに比して，逆は「問題を解い
た」ということになろう．この違いに注目するのが，本書
での「計算」に対する「含み」である．

　次例を見れば，より納得してもらえるだろう．順方向は
電卓を叩けばよい．しかし，逆には何らかの「解法」が必
要である．それを知らない電卓では対応出来ない．

$$\overset{\text{易しい}}{\underset{\text{難しい}}{\xrightarrow{}\;89 \times 97 = 8633.\;\xleftarrow{}}}$$

慣用句的に「単純計算」だとか「機械的計算」だとか言って，冷笑的な態度を取る人も多いが，単純であり機械的であるからこそ「計算」なのであり，そうでない場合は知力を要する「解法」なのである．即ち，先の等式における左辺から右辺への流れは「計算」であり，その逆は「解法」なのである．あらゆる問題は，「解法」によってその流れを逆転させ，「計算」に移行させることによって解決する，そういう構造を持ってる．先の例を引けば

設問	解法の導入	計算
$2 \times 3 = ?$ $\qquad$ $2 \times \square = 6$	$\cdots\cdots\cdots\cdots$ $\rightarrow 6 \div 2 = ?$	$= 6$ $= 3$

ということである．ここでは，「掛け算の問題を割り算の問題に変換する」という「解法」を必要とするわけである．

2 「計算」は一本道で，そこには隠されたものが無い．仮に，直ちに計算に移れる問題を「陽的」と呼ぶならば，何らかの解法を必要とする問題は「陰的」ということになる．試験問題の多くは陰的に作られており，先ずは問題の趣旨や出題者の意図を読み取る作業を通して，問題の陰・陽を変換させる適切な「解法」を見出し，具体的な「計算」へと持ち込まねばならない．教科の内容を理解しているつもりでも，いざ試験となると点数が伸びないという人は，この陰陽の変換が不得手なのかもしれない．

順と逆，陰と陽など「対」を成す組は，数学の至る所で見出される．計算と解法もこの意味で一つの対になる．また，与えられた道具では解決出来ない問題が生じた場合，それに対応し得る新しい概念を生み出そうとすれば，どうしても陰的な表現に頼らざるを得ない．例えば

(1):	□ ＋ 1 ＝ 1	: 1 を加えて 1 になる数
(2):	□ ＋ 1 ＝ 0	: 1 を加えて 0 になる数
(3):	□ × 2 ＝ 1	: 2 を掛けて 1 になる数
(4):	□ × □ ＝ 2	: 二回掛けて 2 になる数
(5):	□ × □ ＝ − 1	: 二回掛けて − 1 になる数
(6):	10□ ＝ 2	: 10 を□回掛けて 2 になる数

などとなる．このようにして，見慣れた数から見知らぬ数が，順に導かれていく．直接的な定義が困難な時，間接的な定義がそれに変わる．陽的な要素が欠けている時，陰的な表現がそれを導き出すわけである．

　表が示す対象を紹介しよう．先ず (1) は**ゼロ**の定義である．足す順を替えても同様．(2) は**負数**の代表として −1 を定義している．これも足す順序には因らない．**自然数**とゼロ，そして自然数を「0 を起点に鏡に映すように」マイナス側にも拡げた数，以上三要素を合わせて**整数**という．

　続いて，(3) は**分数** 1/2 の定義である．整数，分数をまとめて**有理数**という．(4) は「ルート 2」と呼ばれる数の定義であり，有理数では表せないことから，**無理数**と呼ばれている．有理数と無理数を合わせて**実数**という．実数は連続的な存在である．この特徴を一本の直線に仮託して，幾何的に表現したものを**数直線**と呼ぶ．なお，有理数は一般に循環する無限小数として表せる——繰り返しの単位を

上部の黒丸で表す. 例えば, $1/7 = 0.\dot{1}4285\dot{7}$ などである. 一方, 循環の無い無限小数は, 無理数を表すことになる.

最後に, (5) は**虚数 i** の定義である. 虚数と実数を合わせて**複素数**という. なお, (6) は**対数**と呼ばれるが, これは数自身が持つ性質による分類ではなく, その働きを名称にしたものである——対数は一般には実数である.

解法が洗練され, 答を得るための「明確な計算過程」として形式化された時, それは**アルゴリズム**と呼ばれる. アルゴリズムとは「解法」の計算化である. 実社会で重用されている「仕事のマニュアル」も同様である.

アルゴリズムもマニュアルも, 実行に当たって「何も考える必要がない」ところに価値がある. 知力を要しないことが, これらの価値であり, それ故に万人が「一定の仕事を漏れなく間違いなく熟せる」ようになるわけである.

橋の通行料

等号は様々な概念を誘導する.「等しい」とは何か. それは「比較」における一つの結論である. 比較には, 少なくとも二要素が必要であり, それを左辺, 右辺と呼んだ. この両者を等号で結んだもの, それが**等式**であった.

1 等式には二種類ある. 先ず, 左辺と右辺が互いに相手の形式的な別表現になっており, 具体的な内容に因らず常に成り立つもの, これを**恒等式**という. 次に, 未知と既知の関係を等号により定めて, 特定の場合にだけ成り立つ「未知の正体」を明らかにするもの, これを**方程式**という.

例えば，二つの物の値段を 値$_1$, 値$_2$ と表す時

$$値_1 + 値_2 = 値_2 + 値_1$$

という関係は，どのような値段に対しても成り立つので恒等式である．所謂「公式」は恒等式の形を取るものが多い．

　一方，以下は値段が 1000 の時のみ成り立つ．

$$値 - 1000 = 0.$$

従って，方程式である．方程式は「左辺＝ゼロ」という形式が標準的である．物理で「公式」と言えば方程式である．

　二つの等式の左辺同士，右辺同士を加減乗除しても，等号関係は崩れない――ただし，ゼロで割る場合は除く．これを図解すれば，右下のようになる．中段に記された演算は，両辺で同じ一つの項目を選ぶこととする．

　別の表現を採れば，等式の両辺に「同じ数を足しても引いても，掛けてもゼロ以外で割っても」

等式1：左辺$_1$ ＝ 右辺$_1$
(演算)　＋－×÷　　＋－×÷
等式2：左辺$_2$ ＝ 右辺$_2$
新等式：新左辺＝新右辺

構わないということである．求められた新等式を元にして，この手続きは繰り返し実行することが出来る．

2　具体的に，何が起こるかを示しておこう．例えば

$$7 - 3 = 4, \quad 3 = 3$$

であるが，これら二つの等式の辺々を加えると

$$\begin{array}{l} 7 - 3 = 4 \\ \underline{3 = 3 \ (+} \\ 7 - 3 + 3 = 4 + 3 \end{array} \quad より \quad \begin{array}{c} 7 + (\mathbf{-3}) = 4 \\ \Downarrow \\ 7 = 4 + (\mathbf{+3}) \end{array}$$

となる．左辺から右辺へ，右辺から左辺へと，項が移動することを**移項**という．右の関係は，3 が移項したことを示している．この時，負から正へと符号が変わっている．

この現象を形式的に捉えて譬えれば，「等号という名の橋を渡る時，項は符号を変える」となる．あるいは「−1 が乗じられる」と表現してもよい．これが，必ず支払わねばならぬ橋の「通行料」である．

負数に正数を掛けても，正数に負数を掛けても，結果は負数になる．以上のことは納得出来るが，どうしても「二つの負数の積が正数になることが納得出来ない」とする人が相当数おられる．そこで，先ずは以下：

$$1 = 1, \qquad -1 \times 1 = -1,$$
$$1 - 1 = 0. \qquad 1 \times (-1) = -1.$$

を認めて頂いた上で，計算を進めていこう．

ここで，$1 - 1 = 0$ を引き算とは読まず，「$1 = 1$ が "通行料" を支払った結果である」と読む．即ち

$$1 = 1 \text{ より，} \quad 1 + (-1) \times 1 = 0$$

である．この時，直ちに「今一度 "通行料" を支払って再度の移項を行う」とどうなるか．

$$1 + (-1) \times 1 = 0 \text{ より，} \quad 1 = (-1) \times [(-1) \times 1].$$

即ち，これは $(-1)^2 = 1$ を表している．負数の二乗が示しているのは，極めて単純な「行って戻れば元へと返る」「何もしていないのと同じ」という道理である．

二分法

　物事を根本的に理解するためには，「分ける」ことが必要である．「分ける」は「分かる」である．その最小の単位は2であり，これを基礎に置く分類を**二分法**と呼ぶ．また，これに関連して二項対立という言葉もよく使われている．

1　二分法は極めて有効であり，便利であり，危険である．先ずは「全ての極論は二分法に基づく」という極論を挙げておこう．二分法に「中間」は存在しない．

　一般に，二分法は量的ではなく，概念的な意味で使われる．確かに「十人を五人の組に分けた」場合でも全体を二分しているが，有効なのは「自分か他人か」といった分割に対してであり，最も力を発揮するのは「その主張は正しいか否か」といった概念的な問題に対してである．

　また，「分ける」という場合，それは対象を「重複なく・漏れなく分ける (Mutually Exclusive and Collectively Exhaustive)」ことを意味している．米国の商業界を中心に，この頭文字を取って「ミーシー (MECE)」とする拙い略語 が広まってきた——確かに，表音文字である英語においては，表意文字を駆使する我々のように，「音でも見た目でも分かる略語」を作ることは容易ではないが．

　即ち，分けるとは「ミーシーに分ける」ことであり，同時に全体を確実に把握していることである．「全て」が分からなければ，何が「部分」かは分からない．全体が明確であり，各部分に重複が無く，それらを漏れなく集めると

再び全体となる時，我々はその各部分に関する議論によって，全体に対する何らかの結論を得ることが出来る．これが「精密に考える」ということの意味である．

2　二分法の発想は，避け難いほどに日常生活のあらゆる所に浸透している．白・黒，紅・白といった色合いに類するもの．前・後，左・右といった方向に関するもの．善・悪，優・劣といった概念に属するもの．幾らでも例を挙げることが出来る．何かを一列に並べ，そこに起点を設ければ，それを目安に対象は二分される．

　有・無，即ち「有るか無いか」も二分法である．「生きるべきか死すべきか」と悩むハムレットは，二分法の檻の中で藻掻いていたわけである．例えば，白と黒．これは色の問題であるが，本質的には存在・非存在の問題である．

二素材による　　　　一素材による

　実際，「白」は必要が無い，「黒でない」だけである．従って，白と黒しか存在しない世界で，二要素の対立を描写するには，単に「白か白でないか」で表せる．対象は唯の一点でもよい．「点か点以外か」で二分法になる．「～ではない」を否定と呼ぶことにすれば，黒の否定が白であり，白の否定が黒になる．即ち，以下が成り立つ．

$$\overline{白} = 黒, \qquad \overline{黒} = 白.$$

ここで否定を「対象の頭に横棒を載せる」ことで表した．

全てはこれで上手くいく．白一つで話が済む世界が出来るわけである．ところが，では何故「白」なのか，という疑問が残る．黒でも同等の議論が出来るのだから．

即ち，「あるものとその否定」により二分法を構成する際には，その「あるもの」を採択するところで，何らかの価値判断が為されていることになる．白に注目し，白以外との違いを強調したいという主張が内在している時に，白という表現を選ぶ．譬えれば，ドラマの配役を「主役」と「その他」という枠組で語る時，その主役を誰にするかは，表記を選ぶ側に委ねられているということになる．

3 しかし，「世界は白と黒のみで出来ている」と主張するのなら，先ずは「世界とは何か」を明示する必要がある．これは「図形の塗り分け問題」として具体化出来る．そこでは矩形や，より無個性にするために円が利用される．その内部が全世界であり，白と黒の住処なのである．

数学では，この「世界の定義」を非常に重視して，議論の冒頭に宣言することを好む．「後の混乱を避けるため」であるが，初学者は少々面倒に感じるかもしれない．譬えれば「私の最近の暮らしぶりは」と気軽に話そうとした瞬間に，「それは日本か，東京か，下町か山の手の話か」という前提を要求される．「いや，私の…と言うてまんがな」という暗黙の諒解は通用しないということである．

次に「世界の果て」，即ち「無限」の描写が問題になる．一般に，果てには触れずに感覚的に無限を「想像」させるか，果てを描いて知的に無限を「創造」させるか，という

二つの手法が考えられるが，ここでは後者を説明する．

二分割　　　　　四分割

　上図で外側の正方形が全世界を表している．それは有限
であっても，無限であってもよい．兎にも角にも，考察す
べきはこの図形の中だけである．例えば左図の場合，外枠
が自然数全体を表すとして，白を奇数，黒を偶数と見るこ
とが出来る．また，「1を除いた自然数」を全体として，白
を素数，黒を合成数と見做してもよい．このようにして，
二分法の関係が視覚化される．

　一般に，二分割されている対象から，それぞれ一要素を
取り出して組合せると，四つの組が出来る．乱暴に言えば
「二分法×2」で四項目が生じるということである．それ
を視覚化したものが右図である．これは単純な二分法では
捌（さば）ききれなかった対象を，見事に分類してくれる．これも
また，生活の至る所で見出される基本的な表現である．

　例えば，食物に対して，その「好き・嫌い」と，味覚の
「辛い・甘い」でも以下に示す四項目の図式が作られる．

	辛い	甘い
好き	好き・辛い	好き・甘い
嫌い	嫌い・辛い	嫌い・甘い

同様にして，多項目の図式は幾らでも作れるが，実際には
これら二つの方法で多くの問題が扱える．

通分・約分

1 分数の和を求める途中経過としての変形，例えば

$$\frac{1}{2} + \frac{1}{3} = \frac{3}{6} + \frac{2}{6}$$

の右辺を**通分**といった．用語の由来は「分母を揃える」，即ち「通しの分母」を作るということであろう．自然数の最小の刻みが1であるのに対して，1/2はそれが半分，1/3は…と考えると，1/2と1/3では両者を足そうにも，基準となる刻みが異なるので困る（同じ刻みなら足せる）．そこで，それを統一しようというのが通分の発想である．

　力点を置く部分の違いから，様々な説明方法が生まれるが，「分母を揃える」よりも，「**分母を払う**」という発想の

方が，初学者の困惑も少ないのではないか．

　先ずは，二つの分数の分母を見て，その二数の積を作る．この場合であれば 2×3．これを全体に掛ければ，$1/2$ は 3 に，$1/3$ は 2 に変じて分数は消える．これで「分母が払われた」わけである．3 と 2 を足して 5．これは全体を 6 倍した結果であるから，6 で割って答 $5/6$ を得るという仕組である——ここにも「掛けた数で割れば元に戻る」という順・逆の関係が使われている．

2　分母が合成数の場合も同様である．例えば

$$\frac{1}{2} + \frac{1}{4} = \frac{3}{4}$$

であるが，分母の積：$2 \times 4 = 8$ は，二数 $2, 4$ の「最小」公倍数ではないので，求めた結果の分母・分子に共通の約数を見付けて，それで除するという約分の手間が要る．しかし，これは最小公倍数を求める手間と大差ない．即ち

$$(2 \times 4) \times \left(\frac{1}{2} + \frac{1}{4} \right) = 4 + 2 = 6 \text{ より，} \frac{6}{8} = \frac{2 \times 3}{2 \times 4} = \frac{3}{4}$$

として，最後に約分すればよいわけである．

> **参考**
>
> 　分数の学習において，通分と約分が難所であるなら，先ずはこれを回避して，**正答に辿り着くことを優先す**べきではないか．仮に約分されていなくても，それが正しい値であるなら，一つの答であることに違いは無い．この場合なら，各々の小数表記である 0.5 と 0.25 を足し算し，その和 0.75 になる分数として $3/4$ を求めても構わない．**手法は何でもよい，自力で導くことに意味がある．**

別ルートが全く評価されないのは，試験という限定された世界だけの話である．数との戯れは，それそのものが一つの実験である．実験に試行錯誤は必須である．

計算と図形

1　四則計算に関連して，図形の問題を考えてみよう．三角形の面積は長方形の半分，その長方形の面積は「縦×横」といったことは，一度理解すると生涯忘れることのないものである．それは単なる数値の上での関係ではなく，人間の幾何的な直観に訴えるからであろう．

では，右図の凸型の面積は，如何にして求められるか．二つの図形は，共に正方形であり，対応する各辺は平行であるとする．大きな方の一辺は
5，小さな方は 4．食い込んでいる部分の長さは 1 とする．

考え方は単純である．「二つの正方形の面積」を足し，重複した部分の面積を一つ分だけ引けばよい．即ち

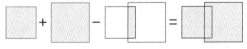

$$4 \times 4 \ + \ 5 \times 5 \ - \ 1 \times 4 = 16 + 25 - 4 = 37$$

である．小さな正方形により抉（えぐ）られた凹型の部分の面積は $25 - 4 = 21$．元の正方形との面積比は，$21 : 25$ であり，比の値は $21 \div 25$ で 0.84 となる．

こうして図形を眺めながら，掛けて足して引いて割って，加減乗除の全てを行った．比や比の値も登場した．足して2で割る．重複した部分を引き去る．こうした考え方には，これ以降も様々な場面で遭遇することになる．単純な考え方ほど，強力であり汎用性も高いのである．

　考察すべき対象が二つ以上存在する時，それらに共通する部分があるかないか，あるならどの程度の重なりがあるか．「似ているか・似ていないか」と表現してもよい．それを調べることは，対象の全体的な構造に迫るための基本的な手法である．前図は，こうした発想を暗示している．

　なお，このような議論に際して描かれる図は，多くの場合「円」，あるいは「楕円」を基調にしたものである．円が好まれる理由は，「方向性を持たない図形である」ことから生じる便利さによるのであるが，一方で定量的な議論には向かない弱みがある．何しろ"円周率の総本山"であるから，計算には必ず無理数が関わってくる．そこで本書では，矩形の長所に焦点を当て，**無理数の追放**を企てた次第である．その結果，定性的な議論だけではなく，重複部分の具体的な値が容易に計算出来たわけである．

2　続いて，二つの正方形が「長辺10・短辺6の長方形」の中に収まっている場合を考える．この設定により，長方形内部は九つの領域に分割される．その各々の面積を求めるための便法を紹介する．次頁の表は，各領域に番号を振り，その内容と図との関係を示したものである．

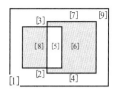

[1]：長方形	[2]：正方形小	[3]：[2] 以外
[4]：正方形大	[5]：重複部分	[6]：凹図形
[7]：[4] 以外	[8]：凸部分	[9]：図形外

より詳細に図形それぞれを切り出せば

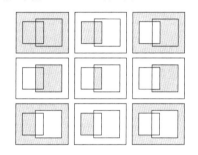

となる．並びは表の番号順である．それぞれの領域が，互いに他とどのように共有されているかを，よく観察して頂きたい．**含む・含まれるという関係は，数学において極めて重要である．**図形は，それを学ぶ最良の教材である．

　分かっているのは「長方形」と「大・小の正方形」の面積である．先ずは，これらの値を書き入れる．次に，「重複部分」の面積を求めて入れる──この場合は 4 である．この四項目の加・減により，残りの五項目が決定する．

　項目 [3] は，長方形内部にあって「小正方形以外の全ての部分」を指しているので，60 – 16 より 44 と決まる．項

目 [7] も同様に，長方形内部にあって「大正方形以外の全ての部分」を指しているので，60 − 25 より 35 となる.

60	16	
25		

三図形の面積

60	16	
25	4	

重複部分の面積

⇒

60	16	44
25	4	21
35	12	23

計算した結果

項目 [8] は，「小正方形から重複部分を除いた領域」を指しているので 16 − 4 から 12. [6] は「大正方形から重複部分を除いた領域」を示しているので 25 − 4 から 21 と決まる. 最後に [9] は，全体から二つの正方形による図形を除いた部分を指しているので，60 − 37 より 23 となる.

　例えば，全体を敷地としよう. そこに二世帯住宅が建てられている. 中央には台所を含む共用部があり，その面積は全体から見れば 4/60 であるが，小さい方の建屋から見れば 4/16 となる. 同じ面積であっても，比較する対象が変われば割合は大きく変わる. 後に，こうした考え方が，大きな問題に直結するのを見るだろう.

　表の根幹の構造は，以下のようにまとめられる.

全体図	図形₁	左の差
図形₂	共通部	左の差
上の差	上の差	上の差

先ず，箱囲みから説明しよう. 上段右端の「左の差」とは，「全体図マイナス 図形₁」の意味であるが，これは 図形₁ から見れば，自身以外の残り全部，即ち「図形₁ の残余」とい

うことである．図形₂ に対しても同様に，下段左端の「上
の差」とは全体図からこれを引いたもの，即ち「図形₂ の
残余」と見做せる．以上の結果を元に，残る項目も表中の
値の「左」，あるいは「上」との差を取ることで決まる．

3 さて，既に学んだように，公約数は「最大公約数の約
数」であり，公倍数は「最小公倍数の倍数」であり，二数
の最大公約数が 1 である時，**互いに素**であるといった．

　例えば，自然数 $6, 15$ を考える．この時，最大公約数は
3, 最小公倍数は 30 であり，これを $6 = 2 \times \mathbf{3}$, $15 = \mathbf{3} \times 5$
と表すと，2 と 5 は公約数の中で最大のものを絞り出した
後の数なので，互いに素である．そして，その積は

$$6 \times 15 = (2 \times \mathbf{3}) \times (\mathbf{3} \times 5)$$

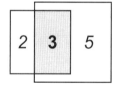

となるが，$\mathbf{3}$ が二重になってい
るので，余分な一つを消した

$$30 = \mathbf{3} \times 2 \times 5$$

が最小公倍数となる．これは「**二数の積＝最大公約数×最
小公倍数**」の図的納得である．ここでも凸型の面積との類
似を意識して，「共通する」という言葉を，「重複する」と
いう「より強い表現」に置き換えると，その重複部分こそ
が，二数を繋ぐ鍵であることが明瞭になる．

数のフィルター

1 素数を組織的に求めるアルゴリズムを紹介する．
　素数は「1 と自分以外の約数」を持たない．逆に考えれ

ば，何らかの数の倍数は素数ではない．そこで，ある数が素数であれば残し，後に続く倍数は消すという手順を「機械的」に繰り返せば，所望の結果が得られる．このアルゴリズムは**エラトステネスの篩**（ふるい）と呼ばれている．

この手法は，10×10 の枡目に記された 100 までの自然数に対して，「2, 3, 5, 7 の倍数を消す」という形式で示される場合が多い．しかし，二数の積として縦と横に意味がある九九の場合とは異なり，自然数を方形に区切るべき必然性は無い．これは単なる紙面上の都合である．

自然数の性質を視覚的にも示したいのであれば，直線的に並べる方が好ましい．書籍ではなく巻物であれば，こうした表記も無理なく出来たかもしれない．本書では，次頁以降の表において，この直線表記に挑む．

2 先ずは次の景色を妄想しよう．1m 間隔で自然数が記された一本道を，歩幅 2m の巨人がこれを踏んでいく．3m，5m，7m 級の巨人もまた歩調を合わせてこれに続く．実に平和な「地均し」である．「未踏の場所」は素数になる．

これはまた四声の譜面にも見える．四種のビートを刻む打楽器群が，一斉に無音になる瞬間，そこに素数が現れる．著者は視覚障碍者が複雑な表の内容を知るためには，音の利用が不可欠であると考え，これを初音ミクを利用して実現した．この手法は，例えば「グー・チョキ・パー・バン」などの掛け声を用いれば肉声のみでも可能である．今後は，元本の正直な点訳のみでなく，音声を駆使した表現を模索する必要があろう．これは，その試みの一つである．

縦の線に空白（休符）が並べば、それは「素数の残響」である。

	1	2	3	4	5	6	7	8	9	10	11	12	13	14	15	16	17	18	19	20	21	22	23	24	25	26	27	28	29	30	31	32	33
自然数	1	2	3	4	5	6	7	8	9	10	11	12	13	14	15	16	17	18	19	20	21	22	23	24	25	26	27	28	29	30	31	32	33
2の倍数		2		4		6		8		10		12		14		16		18		20		22		24		26		28		30		32	
3の倍数			3			6			9			12			15			18			21			24			27			30			33
5の倍数					5					10					15					20					25					30			
7の倍数							7							14							21							28					
素数		2	3		5		7				11		13				17		19				23						29		31		

	34	35	36	37	38	39	40	41	42	43	44	45	46	47	48	49	50	51	52	53	54	55	56	57	58	59	60	61	62	63	64	65	66
自然数	34	35	36	37	38	39	40	41	42	43	44	45	46	47	48	49	50	51	52	53	54	55	56	57	58	59	60	61	62	63	64	65	66
2の倍数	34		36		38		40		42		44		46		48		50		52		54		56		58		60		62		64		66
3の倍数			36			39			42			45			48			51			54			57			60			63			66
5の倍数		35					40					45					50					55					60					65	
7の倍数		35							42							49							56							63			
素数				37				41		43				47						53						59		61					

	67	68	69	70	71	72	73	74	75	76	77	78	79	80	81	82	83	84	85	86	87	88	89	90	91	92	93	94	95	96	97	98	99
自然数	67	68	69	70	71	72	73	74	75	76	77	78	79	80	81	82	83	84	85	86	87	88	89	90	91	92	93	94	95	96	97	98	99
2の倍数		68		70		72		74		76		78		80		82		84		86		88		90		92		94		96		98	
3の倍数			69			72			75			78			81			84			87			90			93			96			99
5の倍数				70					75					80					85					90					95				
7の倍数				70							77							84							91							98	
素数	67				71		73						79				83						89								97		

97

以上で 99 までに存在する 25 個の素数が分かった．全体を把握するために，結果をまとめておく．

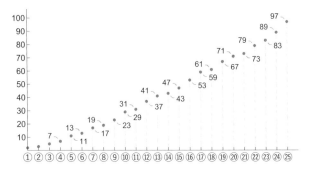

最初の素数 2 は，唯一の偶数であり**偶素数**という．他は全て奇数であり**奇素数**と呼ばれる．また，隣接する奇数が共に素数の時，これらの組を**双子素数**という．具体的には

$$3 と 5, \qquad 5 と 7, \qquad 11 と 13, \qquad 17 と 19,$$
$$29 と 31, \qquad 41 と 43, \qquad 59 と 61, \qquad 71 と 73$$

である．素数は無限に存在するが，双子素数が無限に存在するか否かは，未だ証明されていない．

しかし何故，「7 の倍数」までで事足りるのだろうか．それは「次の素数が 11 である」ことに関係している．11 を二回掛けると 121 になり，これは 99 を超えているから，というのが現状での「説明」である．

3　また，全ての自然数は「素数の積」として一意に表される．この一意性のために，1 を素数から外したのである．もし，1 を素数とすれば，$6 = 1 \times 2 \times 3$ も，$6 = 1^2 \times 2 \times 3$

も，異なる 1 の冪を含んだ全てが「素数による分解」ということになり，唯一の表現とは言えなくなる．

　数にまつわる様々な問題は，この一意性を根拠に行われるものが多い．従って，これは譲れない条件なのである．具体的には，第 1 章冒頭で示した L 型枠の中の掛け算をすれば得られるが，改めて以下にまとめておこう．素数という因子 (要素) による分解なので，これを**素因数分解**という．なお，分解は小さな素数から順に並べて書く約束である――余白の関係上，「×」を「·」で代用した．

$7\cdot13$	$2^2\cdot23$	$3\cdot31$	$2\cdot47$	$5\cdot19$	$2^5\cdot3$	**97**	$2\cdot7^2$	$3^2\cdot11$	$2^2\cdot5^2$
3^4	$2\cdot41$	**83**	$2^2\cdot3\cdot7$	$5\cdot17$	$2\cdot43$	$3\cdot29$	$2^3\cdot11$	**89**	$2\cdot3^2\cdot5$
71	$2^3\cdot3^2$	**73**	$2\cdot37$	$3\cdot5^2$	$2^2\cdot19$	$7\cdot11$	$2\cdot3\cdot13$	**79**	$2^4\cdot5$
61	$2\cdot31$	$3^2\cdot7$	2^6	$5\cdot13$	$2\cdot3\cdot11$	**67**	$2^2\cdot17$	$3\cdot23$	$2\cdot5\cdot7$
$3\cdot17$	$2^2\cdot13$	**53**	$2\cdot3^3$	$5\cdot11$	$2^3\cdot7$	$3\cdot19$	$2\cdot29$	**59**	$2^2\cdot3\cdot5$
41	$2\cdot3\cdot7$	**43**	$2^2\cdot11$	$3^2\cdot5$	$2\cdot23$	**47**	$2^4\cdot3$	7^2	$2\cdot5^2$
31	2^5	$3\cdot11$	$2\cdot17$	$5\cdot7$	$2^2\cdot3^2$	**37**	$2\cdot19$	$3\cdot13$	$2^3\cdot5$
$3\cdot7$	$2\cdot11$	**23**	$2^3\cdot3$	5^2	$2\cdot13$	3^3	$2^2\cdot7$	**29**	$2\cdot3\cdot5$
11	$2^2\cdot3$	**13**	$2\cdot7$	$3\cdot5$	2^4	**17**	$2\cdot3^2$	**19**	$2^2\cdot5$
—	**2**	**3**	2^2	**5**	$2\cdot3$	**7**	2^3	3^2	$2\cdot5$

　冪乗とは，指数の数だけ同じ数を掛け合わせることが，その定義であった．例えば，52920000 の素因数分解は

$$2^6\times3^3\times5^4\times7^2$$
$$= \underbrace{(2\times2\times2\times2\times2\times2)}_{6\,個}\times\underbrace{(3\times3\times3)}_{3\,個}\times\underbrace{(5\times5\times5\times5)}_{4\,個}\times\underbrace{(7\times7)}_{2\,個}$$

となるが，積の順序はどのように変えてもよいので

$$(3\times3\times3)\times(7\times7)\times(2\times2\times2\times2\times2\times2)\times(5\times5\times5\times5)$$
$$= (2\times2)\times(3\times3\times3)\times(7\times7)\times(\underline{2\times5}\times\underline{2\times5}\times\underline{2\times5}\times\underline{2\times5})$$

とすることで，末尾の「0」の出自を知ることが出来る．

素数の「走路」

　自然数は無限に存在する．素数も無限に存在する．しかし，素数もまた自然数である．その一部である．一部である素数が，自然数と同様に無限に存在するところに，無限の持つ神秘がある．ここでは極めて小さな有限の世界で，「素数が何処にあるのか」，その居場所について考える．

　素数のみを順に与える式は，今なお知られていない．しかし，個々の素数は捉え難くとも，集団の振舞いには何か法則があるのではないか．自然数の中に，全く不規則に点在しているかの如く見える素数であるが，難しい議論をしなくとも，その範囲を絞っていくことだけは出来る．

　例えば，自然数を偶数と奇数に二分すると，偶数の世界に素数は存在しない．その唯一の例外が偶素数と呼ばれる「数 2」であった．残りの素数は全て奇数の中に存在するわけである——以後，偶素数は注視しない．

1　全ての道は自然数に通ず．先ずは，天下の大道たる自然数の中から，奇数という走路が切り出せる．しかし，これでは単に偶素数を取り除いただけである．奇数を分割すれば，奇素数もまた分散してしまう．そこで，次は 4 で割った余りに従って，四つの走路を作ってみよう．

　各走路に属する数を，合同により表せば以下：

$$\text{路.0} \overset{4}{\equiv} 0, \quad \text{路.1} \overset{4}{\equiv} 1, \quad \text{路.2} \overset{4}{\equiv} 2, \quad \text{路.3} \overset{4}{\equiv} 3$$

となる——ここで「路」は走路の略である．この表現は，

例えば **路.1** であれば，その走路上には「4 で割って 1 余る数」しか存在しないという意味である．

先ず確認しておくべきことは，全ての自然数はこの四走路の中に必ず存在していることである．また，明らかに **路.0** と **路.2** は偶数の列であるから，全ての奇素数は，**路.1** か **路.3** の何れかに存在していることになる．これは，奇素数に対する一つの分類を与えたことにもなる．そこで，4 で割って 1 余るタイプの素数を「**路.1**$_{(4)}$ 型素数」，3 余るタイプの素数を「**路.3**$_{(4)}$ 型素数」と呼ぶことにする．この二走路のみを取り出せば，**次頁**のようになる．

2 もう少し，素数の密集した走路は作れないものか．そこで，次は 6 で割った余りにより分類する．明らかに，零番，二番，四番は偶数の列である．従って，この走路に (偶素数 2 を除いて) 素数は存在しない．また，三番は 3 の倍数なので先頭の 3 を除き，それ以降に素数は無い．よって，素数 2 と 3 は別枠とし，残る一番，五番のみに議論を絞る．その結果が次の次の頁である．

これらの数の範囲では，上手く素数が密集した状態が作られていると言えるだろう．一番走路では 17 個中 11 個，五番では 16 個中 12 個が素数である．これらを，「**路.1**$_{(6)}$ 型素数」「**路.5**$_{(6)}$ 型素数」と呼ぶことにする．

これらは，素数の居場所を限定する表現の一部である．即ち，素数は「この集団の中に必ず存在する」とは言えても，「この集団の数は必ず素数である」とは言えない．ここまでに作成してきた数表が，以上のことを例示している．

	1	2	3	4	5	6	7	8	9	10	11	12	13	14	15	16	17	18	19	20	21	22	23	24	25	26	27	28	29	30	31	32	33
自然数	1	2	3	4	5	6	7	8	9	10	11	12	13	14	15	16	17	18	19	20	21	22	23	24	25	26	27	28	29	30	31	32	33
路.1	1				5				9				13				17				21				25				29				33
路.3			3				7				11				15				19				23				27				31		
素数		2	3		5		7				11		13				17		19				23						29		31		

	34	35	36	37	38	39	40	41	42	43	44	45	46	47	48	49	50	51	52	53	54	55	56	57	58	59	60	61	62	63	64	65	66
自然数	34	35	36	37	38	39	40	41	42	43	44	45	46	47	48	49	50	51	52	53	54	55	56	57	58	59	60	61	62	63	64	65	66
路.1				37				41				45				49				53				57				61				65	
路.3		35				39				43				47				51				55				59				63			
素数				37				41		43				47						53						59		61					

	67	68	69	70	71	72	73	74	75	76	77	78	79	80	81	82	83	84	85	86	87	88	89	90	91	92	93	94	95	96	97	98	99
自然数	67	68	69	70	71	72	73	74	75	76	77	78	79	80	81	82	83	84	85	86	87	88	89	90	91	92	93	94	95	96	97	98	99
路.1			69				73				77				81				85				89				93				97		
路.3	67				71				75				79				83				87				91				95				99
素数	67				71		73						79				83						89								97		

路.1 は 4 で割って 1 余る数の列, 路.3 は 4 で割って 3 余る数の列である.

自然数	1	2	3	4	5	6	7	8	9	10	11	12	13	14	15	16	17	18	19	20	21	22	23	24	25	26	27	28	29	30	31	32	33
路.1	1						7						13						19						25						31		
路.5					5						11						17						23						29				
素数		2	3		5		7				11		13				17		19				23						29		31		

	34	35	36	37	38	39	40	41	42	43	44	45	46	47	48	49	50	51	52	53	54	55	56	57	58	59	60	61	62	63	64	65	66
				37						43						49						55						61					
		35						41						47						53						59						65	
				37				41		43				47						53						59		61					

	67	68	69	70	71	72	73	74	75	76	77	78	79	80	81	82	83	84	85	86	87	88	89	90	91	92	93	94	95	96	97	98	99
	67						73						79						85						91						97		
					71						77						83						89						95				
	67				71		73						79				83						89								97		

路.1 は 6 で割って 1 余る数の列，**路.5** は 6 で割って 5 余る数の列である．

まとめとして，先の表を簡潔にしたものを示しておく．

| 1 | 5 | 9 | 13 | 17 | 21 | 25 | 29 | 33 | 37 | 41 | 45 | 49 | 53 | 57 | 61 | 65 | 69 | 73 | 77 | 81 | 85 | 89 | 93 | 97 |
| 3 | 7 | 11 | 15 | 19 | 23 | 27 | 31 | 35 | 39 | 43 | 47 | 51 | 55 | 59 | 63 | 67 | 71 | 75 | 79 | 83 | 87 | 91 | 95 | 99 |

上段：4 で割って 1 余る数，下段：同じく 3 余る数

| 1 | 7 | 13 | 19 | 25 | 31 | 37 | 43 | 49 | 55 | 61 | 67 | 73 | 79 | 85 | 91 | 97 |
| 5 | 11 | 17 | 23 | 29 | 35 | 41 | 47 | 53 | 59 | 65 | 71 | 77 | 83 | 89 | 95 | |

上段：6 で割って 1 余る数，下段：同じく 5 余る数

因みに，**路.1**$_{(4)}$ 型素数は，二つの平方数の和で書ける．

$$5 = 1^2 + 2^2, \quad 13 = 2^2 + 3^2, \quad 17 = 1^2 + 4^2,$$
$$29 = 2^2 + 5^2, \quad 37 = 1^2 + 6^2, \quad 41 = 4^2 + 5^2, \ldots$$

などである――直角三角形を書きたくなる数の組である．

ところで，4 で割って「3 余る」ということは，割り切れるまでに「1 足りない」とも言える．同様に，6 で割って「5 余る」は，やはり「1 足りない」とも言えるので，これらは「4 で (あるいは 6) で割った剰余が ±1」の数であると簡潔に表現することも出来る．なお，± を**複号**という．

先に，「時に関連した数は多くの約数を持つ」「隣接する自然数は互いに素」「連続する三つの自然数の積は 6 の倍数」であることを述べた．そして，**双子素数**を紹介した．ここでは双子に挟まれた数も，括弧付きで添えておこう．

3, (**4**), 5　　5, (**6**), 7,　　11, (**12**), 13,　17, (**18**), 19,
29, (**30**), 31,　41, (**42**), 43,　59, (**60**), 61,　71, (**72**), 73.

間の数は当然偶数であるが，二番目以降は全て 6 の倍数である．この関係は全ての双子素数に対して成り立つ．即ち，双子素数は「6 で割って 1 足りない素数と，1 余る素数の組」になっているわけである．

3 先に，自然数を方形に並べる必然性は無いと述べた．しかし，全く捉え所がないように見える素数が，ある幾何学的な配置に関して一定の構造を示す場合がある．

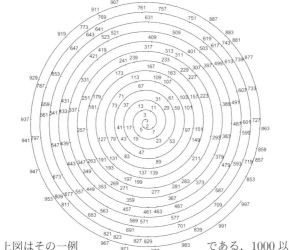

上図はその一例 である．1000 以下の素数 168 個を螺旋状に並べると，所々に直線的な配置が見えてくる．素数の魅力は，不規則に見えて規則的であるが，その「規則」が容易に全貌を現さないところにある．

互除法

　続いて，最大公約数を求めるアルゴリズムである「ユークリッドの互除法」を紹介しよう．嘗てはアルゴリズムといえば「これを意味する」とされた定番中の定番である．一般に，冠無しの**互除法**で通用する．

1 これは，二数の最大公約数を，小さい方の数を法とす

る合同計算を連続的に行うことで求めるものである。これを先に紹介した新記号を用いて示す。この記号による記述は、簡潔であると同時に、アルゴリズムの本旨である「機械的な作業」が目に見える形になる。

例えば、91, 65 の最大公約数を求める場合、65 が小さい方の数になるので、これを法とする合同式を考える。即ち

$$91 \overset{65}{\equiv} ? \quad \text{より、} \quad 91 \overset{65}{\equiv} 26$$

である。91 を 65 で割れば商 1、剰余 26 となるので、その値を右辺に書く。後は以下の手順に従って、数値を「回転」させて、新しい剰余を順に求めていく。

図中の矢印に従って、合同記号の上から左辺へ数を降ろし、右辺から合同記号の上へと数を上げる——各数値が反時計回りに 90 度回転移動する。これにより、割る数が次のステップの割られる数になり、剰余が割る数に変じる。

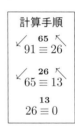

計算手順

$$91 \overset{65}{\equiv} 26$$
$$65 \overset{26}{\equiv} 13$$
$$26 \overset{13}{\equiv} 0$$

そして、剰余が 0 になった段階で、合同記号の上に鎮座する法、この場合であれば 13 が二数 91, 26 の最大公約数となる。また、91×26/13 より 182 が最小公倍数となる。

2 ここでは、合同記号の上に「法」を載せる記法の効能を示すために、上げ下げの矢印を添えたが、実際の計算には無用であり、手順に従って単に数値を求めればよい。

もう一例、示しておこう。143, 111 の場合なら

余りが 0 になるまで実行

$$143 \overset{111}{\equiv} 32, \quad (143 > 111 > 32),$$

$$111 \overset{32}{\equiv} 15, \quad (111 > 32 > 15),$$

$$32 \overset{15}{\equiv} 2, \quad (32 > 15 > 2),$$

$$15 \overset{2}{\equiv} 1, \quad (15 > 2 > 1),$$

$$2 \overset{1}{\equiv} 0, \quad 最小公倍数 = 143 \times 111 / \mathbf{1}.$$

である．これより，最大公約数は 1，即ち二数は互いに素であることが示された．この方法は，互除法の仕組を記憶するにも，具体的な計算の手順を間違いなく記していくことにも，大いに貢献するものと思われる．

　以上の結果を受けて，剰余を軸にした面白い変形をしてみよう．合同計算の元々の意味に戻れば

$$143 \overset{111}{\equiv} 32 \ とは，\ 143 = 1 \times 111 + 32 \ の別記法$$

のことであった．そこで一連の計算を右側の形式に直し，さらに「剰余について解く」と以下のようになる．

$$(143 \overset{111}{\equiv}) \ 32 = 143 - 1 \times 111 \quad \text{：第一行,}$$

$$(111 \overset{32}{\equiv}) \ 15 = 111 - 3 \times \underline{\mathbf{32}} \quad \text{：第二行,}$$

$$(32 \overset{15}{\equiv}) \ 2 = \underline{\mathbf{32}} - 2 \times \underline{\mathbf{15}} \quad \text{：第三行,}$$

$$(15 \overset{2}{\equiv}) \ 1 = \underline{\mathbf{15}} - 7 \times \underline{\mathbf{2}} \quad \text{：第四行.}$$

これらの式を相互に代入，整理することによって，元になった二数 143 と 111 から「1 を作ること」が出来る．

右辺の縦の並びに注目しよう．ここで負号の後の数：
$1, 3, 2, 7$ はそのまま残し，$32, 15, 2$ を各行を参考にして書
き直していく．先ずは，第二行に第一行を代入すること
で，下線が引かれた 32 が消去される．

$$\begin{aligned}
15 &= 111 - 3 \times 32 & &\text{：二行目}\\
&= 111 - 3 \times (143 - 1 \times 111) & &\text{：代入}\\
&= 4 \times 111 - 3 \times 143 & &\text{：整理}
\end{aligned}$$

同様にして，第三行から，下線が引かれた 32 と 15 を消去
する．第一行と上の「整理した 15 の表記」を用いて

$$\begin{aligned}
2 &= 32 - 2 \times 15 & &\text{：第三行}\\
&= (143 - 1 \times 111) & &\\
&\quad - 2 \times (4 \times 111 - 3 \times 143) & &\text{：代入}\\
&= 7 \times 143 - 9 \times 111 & &\text{：整理}
\end{aligned}$$

となる．最後に，第四行の下線部に以上の結果を代入して

$$\begin{aligned}
1 &= 15 - 7 \times 2 & &\text{：第四行}\\
&= (4 \times 111 - 3 \times 143) & &\\
&\quad - 7 \times (-9 \times 111 + 7 \times 143) & &\text{：代入}\\
&= 67 \times 111 - 52 \times 143 & &\text{：整理}
\end{aligned}$$

こうして，1 を 111 と 143 で表すことが出来た．これは

$$67 \times 111 - 52 \times 143 = 1$$

とも書ける．また，全体に定数を掛ければ，その定数自身
を 111 と 143 の組合せで表せる．例えば，5 であれば

$$5 \times (67 \times 111 - 52 \times 143) = 335 \times 111 - 260 \times 143$$

である．この種の変形は，元の二数が「互いに素（最大公
約数が 1）」であれば何時でも可能である．後で，ここで述
べた関係の非常に重要な応用を紹介する．

第5章　　　　　　確率とデータ

その時，賽は…

　昔々，それは公算と呼ばれていた．今もなお「その公算は大である」といった使われ方で，「可能性の程度を表す言葉」として活きている．Probability の訳語である．時を経て，それは**確率**に置き換えられた．

　この言葉を「初耳だ」と言う人は居ないだろう．もし居たとしたら，それは日々の天気に無関心な人であり，宝籤にも賭け事にも無縁な人であろう．確率とは，「偶然」起こる様々なことに，「0 以上 1 以下の数」を割り当てることで，僅かながらも理解しようとする数学的試みである．

1 ローマ人・カエサルは，ルビコン川を渡るに際して

　　　　The die is cast.「賽は投げられた」

と宣した．二十世紀，アインシュタインは，こう呟いた．

　　　God does not play dice.「神は賽を振りたまわず」

ストーンズのミック・ジャガーは挑発的に歌った．

　　　　Tumbling Dice.「ダイスを転がせ！」

このように，「投げられたり」「振られたり」「転がされたり」するのが賽，通称サイコロである．単数形が die であり，複数形が dice である．してみると，博士の抵抗は「神は二個以上の賽は使わない」という意味なのだろうか…

> 最も簡単な事例は，最も複雑な概念を学ぶためにあり，
> 最も複雑な事例は，最も簡単な概念を試すためにある．

これは，あらゆる学習に通じる基本である．確率の問題において，最も多く例に引かれるのが，サイコロとコイン，カード，そして文字 (あるいは数字) の並べ方である．これらは，まさに「最も簡単な事例」である．しかし，そこから実に「複雑な概念」に辿り着く．

数学だけに限る話ではないが，複雑な概念を本質的に理解するためには，秩序だった筋道を通るだけでは不充分である．本質とは "ドーナツの穴" であり，全くの空虚だからである．関連情報を集め，その周辺を何度も繰り返し，深く浅く探索することによって，そこに「穴がある」ことが分かる．それ自身に直接触れることは決して出来ないが，確かにそれが本質だと理解出来るようになる．本質を知るには，本質でないことを蒐集（しゅうしゅう）するしかないのである．

同語反復や手順前後を恐れず，それらの相互関係を精査することによって，ようやく新しい概念の輪郭が掴める．幾何学において，点や線は未定義用語であり，議論の根拠となり得るものではないが，我々は直観的に把握したものを踏み台にして先へと進む．斯くの如く人間の「理解」というものは曲線的であり，右往左往の果てにしかない．

2 確率もまた，新しい概念，全ての基礎となる仮定を必要としている．鍵を握るのは「常識」である．否定の反対は肯定である．積極的に否定すべき理由が見出せないなら，それは「肯定せざるを得ない」という常識である．

ここに，寸分違わぬ完璧な正六面体に数値が描かれた理想のサイコロがあると「仮定」しよう．我々の幾何的な直観が，対称性に対する信頼が，サイコロの各面が均等に出ることを予想させる．これを否定する理由は何処にも無い．よって肯定するしかない．出目は**全て等しい可能性** (equally possible) を持つ．その割合は 1/6 である．

これは一度もサイコロを振ることなく導かれた結論である．これを簡潔に，出目の**理論的確率**は 1/6 であるという．換言すれば，理論的確率とは「生じ得る可能性の全体」と「その一部」の比による現実の見積であり，未来に対する数学的な予言である．一方で，実際にサイコロを振れば特定の出目の割合が，振る回数が多くなるに従って，理論的確率の値に近づいていく．これを**経験的確率**という．

両者は互いに牽制する．経験的確率と理論的確率の値が極めて近い時，実験側から見れば，理論が正しい設定をしていたということになる．逆に理論側から見れば，実験が正しく行われたと考えることが出来る．

以上の仮定は，数学的定義以前の感覚的問題として，誰しも容易に納得出来るものではないだろうか．そして，その確率は過去の影響を受けない．それぞれは独立している．即ち「直前に 6 の目が出たからといって，次に 6 の目

が出る確率が変化するものではない」ということも.

その一方で,続けて 10 回も 6 の目が出れば,次は 6 以外が「高い確率で出る」と思いたくなるのも人情である.この辺りに確率を巡る「理解と誤解の溝」がある.前提を充分に諒解していたはずの人が,それに抵抗し始める.直観的に受け入れていたことを,直観が受け入れなくなる.そこで,数学的な議論が必要になるわけである.

3 用語の整理をしておこう.同じ条件下で繰り返される実験や観察を**試行**と呼び,その結果を**事象**という.事象は,それ以上分割することが出来ない「単一事象」と,単一事象の集まりである「複合事象」に二分される.前者を特に**根元事象**と呼ぶことが多い.根元事象の全体をまとめて**全事象**,決して起こらない事象を**空事象**という.

ある事象に対して,それが起こらない事象を**余事象**と呼ぶ.従って,全事象の余事象は空事象であり,この逆も言える.また,二つの事象の少なくとも一つが起こる時,これを**和事象**,二つの事象が共に起こる時,これを**積事象**,積事象が空事象の時,両者は互いに**排反**であるという.排反とは "両雄並び立たず" という意味である.

互いに排反な根元事象が「等確率」で実現し,その全体が全事象を成す時,根元事象は確率の「単位」と見做せる.よって,離散的な場合,事象の個数を調べることが基本となる.確率の対象は,自然数で表されるものだけに留まらない.従って,「個数」という考え方も,面積や体積といった連続的なものに更新される.ただし,基本は常に単純な

「物の個数を数える」ところにある．これは**場合の数**と呼ばれ，数学学習の中でも一つの分野を成している．そこから，ある事象の理論的確率は，次のように表現される．

$$\frac{含まれる根元事象の個数}{根元事象全体の個数}.$$

定義からも明らかであるが，この主張には「起こり得ることの全体」が完全に把握出来るという前提がある．

参考

　先に，二分法に関して述べたことと同じ趣旨であるが，全事象と書いて「宇宙」あるいは「世界」と読む．単なる言葉の響きの問題であるが，この方がより直観が利く．それが全てを尽くし，「他は考察外である」という用語の裏の意味を強く感じさせるからである．さらに同様の趣旨で，空事象は「無」と読めばよい．

　また，上では，確率を定義するのに先んじて「等確率」という言葉を用いた．ここは「等しい可能性」，あるいは学校数学で多く採用されている「同様に確からしい」とすべきだろうが，こうした言い回しが初学者に無用の負担を強いているようである．そこで迅速に議論の本筋を掴むために，より大枠での表現を用いた次第である．

サイコロ：一個の場合

1　さて，サイコロとは何だろうか．以下は代案である．我々がサイコロに期待するものは何か．実用面だけなら，六種類の目が均等に出ること，この条件さえ充たせば「それはもう立派なサイコロだ」と考えるだろう．

　そこで正六角形を描いた．実際のサイコロを意識して，

対面の数字の和が 7 になるようにした．この面上で玉を転がし，止まった地点の数値を読む．これは，境界線上に止まるなどの面倒な問題を考えなければ，「平面のサイコロ」と見做せるだろう．何故，そう考えられるのか．それは六分割された，各々の正三角形の面積が等しいことを知っているからである．そして，等しい面積に割り振られる事象は，全て均等になると考えるからである．

全事象　　　　出目が 1　　　　余事象

　即ち，確率と面積の密接な関係を，我々は直観的に理解しているのである．用語の問題を，これに適用してみよう．先ず，左端の図は構造の紹介である．投入される玉は，この面積 1 の正六角形の他には何処にも行けない．出目は必ずこの中にある．この図形内部が玉にとっての全世界であり，全事象を表している．そして，同時に根元事象が独立であることも見て取れる．数字に漏れはなく重複もしていない．中央と右の二枚は，出目 1 とその余事象を表している．面積は，それぞれ全体の 1/6 と 5/6 であり，これが対応する事象の理論的確率にもなる．

　ここで注意しておきたいのは，サイコロを振った「結果を論じているわけではない」ということである．先にも述べたように，確率は未来の予想である．事前の情報だけから，未来に何が起きるかを定量的に推測する仕組である．

参考

デジタルカメラの普及によって，一般には昔ほど使われなくなったが，フィルムの「ネガ (陰画)」と「ポジ (陽画)」という言葉は便利である——これはネガティブとポジティブの略語である．実際，ある事象をポジと見た時，その余事象がネガに譬えられる．

ただし，今も示したように，「1 の目か，それ以外か二つに一つ！」と啖呵を切られても，それが決して等確率を意味しないことは，何度も繰り返し確認したい．この種の詐術は場所を変え，品を替えて様々な所で使われている．状況が二分されることと，その確率が五分であることは，全く別のことであるから「各々方努々御油断召^{おのおのがたゆめゆめ}されるな」ということである．

正六角形の平面サイコロは見たことがなくとも，ルーレットはほとんどの人が御存知だろう．国により多少の流儀の違いがあるようだが，等面積に分割された対象が，等確率を実現しているところは同じである．

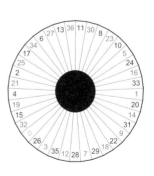

ルーレットのテーブルと回転盤 (欧州版・**37** 分割)

2 さて，今一度繰り返すと

1 **2** **3** **4** **5** **6**

という 6 種類の出目は，これ以上分割することが出来ない根元事象であり，互いに排反であるから，どの出目も「全体 6 (分母)」に対して「1 (分子)」の割合になる．もし，「どの目でも構わない」のであれば，それは必ず起こる，即ち「確率 1 で起こる現象」である．このことは

$$\frac{1}{6} + \frac{1}{6} + \frac{1}{6} + \frac{1}{6} + \frac{1}{6} + \frac{1}{6} = 1$$

により確認することが出来る．そして，この計算が示唆していることは，「確率は足せる」ということである．また，「異なる出目は互いに排反である」から，その同時出現は「確率 0 で起こる」と表現することも出来る．

　ここで，偶数が出るという事象を [偶]，素数が出るという事象を [素] とし，要素を波括弧で括ると

$$[偶] := \{\,2\ \ 4\ \ 6\,\}, \qquad [素] := \{\,2\ \ 3\ \ 5\,\},$$

となる．共に要素数は 3 であるので，それぞれの確率は

$$確率_{[偶]} = \frac{3\ 個}{6\ 個} = \frac{1}{2}, \qquad 確率_{[素]} = \frac{3\ 個}{6\ 個} = \frac{1}{2}$$

と定まる．即ち，「次の目は偶数だ」としても，「素数だ」としても，全く同じ割合でそれは起こるのである．

　では，次の目は「偶数か，**または**素数か」とすればどうなるか．これが「偶数か奇数か」であれば，言うまでもな

くそれは確率 1 で起こる．しかし，この場合，両者で 2 が重複しており，全体で 5 種類の出目しかない．具体的には

$$\boxed{2}\ \boxed{3}\ \boxed{4}\ \boxed{5}\ \boxed{6}$$

の中のどれかが出ればよいので，その確率は 5/6 となる．

これは，偶数である確率 1/2，素数である確率 1/2，重複した出目 2 である確率 1/6 から，以下の計算：

$$\frac{1}{2} + \frac{1}{2} - \frac{1}{6} = \frac{5}{6}$$

によっても得られる．これは，重複がある和事象の場合，その重なりを一つだけ取り除くことだと考えられる．重なった図形の面積を求めた際に示した手法の類似である．この場合，$\boxed{1}$ 以外の出目であれば「何でもよい」ことから，その余事象と考えて，以下のようにしても求められる．

$$1 - \frac{1}{6} = \frac{5}{6}.$$

3 確率は，計算よりも問題の意味を理解し，既知の表現に翻訳することの方が難しい．例えば，サイコロの目の 5 か 6 の「何れかが出る」とは，「5 でも 6 でもよい」ということであるから和事象になるが，これらが同時に起こることはない．従って，その積事象は空事象になる．

実際，その和事象が起こる確率は，両者の単純な和：

$$\frac{1}{6} + \frac{1}{6} = \frac{1}{3}$$

として求められる．また，出目が 4 の約数 (1, 2, 4 の三種) になる確率は，三つの場合の和：

$$\frac{1}{6} + \frac{1}{6} + \frac{1}{6} = \frac{1}{2}$$

になる．「何れかが出る」「どれでもよい」というように表現を少しずつ変えていき，その結果，問題の本質が和事象にあることを見出せれば，積事象が「空」であることを確認した後に，各確率の和を取ることで答に辿り着ける．

次にサイコロ二個の場合を考えたいのであるが，直ぐに話題を変えるべきか否か，それはコインに聞いてみよう．

コインの場合

1 コインの裏・表の確率は，サイコロと同様にその幾何的な対称性から 1/2 と予想される．ただし，細かいことを言えば，コインは第三の可能性として，側面を下にして立つという場合も考えられる．そこで，こうした問題に煩わされないために，「理想のコイン」を仮定するのである．

そして，その理想は計算機実験によって容易に実現される．0 を裏，1 を表と見做し，この二値が "ほぼ予測不能な形" で出力される**疑似乱数プログラム**をコインの代用とする．なお，疑似乱数とは，次の数が完全に予測不能な乱数に対して，実用的には乱数と見做せる「極めて長い周期を持った "予測可能な" 数列」の各数値のことである．

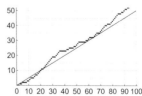

左は百回の試行における裏表の変化を，右は同試行中に累積していく「表の数」を記したものである．グラフの点は「理論的確率 1/2 を示す右上がりの直線」に沿っている．翻って以上の結果は，この疑似乱数が「コインの代用として実験に使えそうだ」という感触を与えてくれる．計算機実験においては，こうした感覚的な把握も重要である．

2　次に，「二枚のコインを同時に投げた場合」を考える．結果は「表が二枚」「裏が二枚」出る場合と，「裏と表が一枚ずつ」出る場合の三通りであるが，これらの出現する確率はそれぞれ 1/3 であろうか．このことを，先ずは疑似乱数を用いた計算機実験により確かめる．ここでは，二つの乱数の和が「0 (裏・裏)」の場合，「1 (表／裏)」の場合，「2 (表・表)」の場合の各総数を記録した．

左から順に百回，千回，一万回の試行を行った結果である．試行回数が増えるにつれ，比率は「1 対 1 対 2」に近づき等確率ではない．即ち，これらは根元事象の組ではない．

　何が問題かは直ぐに分かる．同一の面が出る場合を「揃目」と呼ぶことにすれば，揃目でない場合には「裏・表」と「表・裏」の二つの可能性がある．これを同じ枠に入れ，積算した結果，揃目の二倍になったと考えられる．この点に配慮して，再計算したものが次の図である．

二枚のコインを「区別する」ことが, この問題の要諦である. それをより印象的に行うには, コインに「白・黒」とか「大・小」とかいった名前を付ければよい.

座標表示に倣って, その位置に意味を持たせる方法

もある. 即ち表示: (裏, 表) と (表, 裏) は別物とする手法である. この表記は, 「中身の順番に意味を持たせる**順序対**」の発想を利用したものであり, 一般に今述べている「物の区別」も, この順序対により表すことが出来る.

3 また, 裏表の無い玉のようなものでも, 名前付きの容器を用いれば区別することが出来る. 例えば, 二つの籠を用意して, それぞれに「裏」「表」と名前を付けておけば, その籠に入った玉は, 裏表のあるコインと同様である. これを, 波括弧と縦棒を利用して記述すれば

となる. ここで, **左**は二つの玉を「白・黒」として区別した場合であり, **右**は玉の区別をしない場合である. 双方とも縦の並びが根元事象となるので, 右の場合は各事象が「本

当に」それぞれ確率 1/3 で起こる．区別をなくせば，実際に根元事象は三分類になるのである．

確率の問題は，このように設定が異なれば，根本的な計算も異なるので要注意である．学校数学における例題は，現実の問題，即ち我々が知覚するマクロの世界との対応を考えることから，その大半が「区別する立場」で出されているが，一度ミクロの世界に目を転じれば，個々の電子や光子は如何なる方法によっても「区別出来ない粒子」であることから，左の分類は成立しない．逆に，何がミクロかマクロかという漠然たる問にも，こうした確率を求める実験を企画すれば，その答が得られるわけである．

サイコロ：二個の場合

サイコロに戻る．二個の場合を考える．「二個を同時に振ること」と，「一個を続けて二度振ること」は，確率的には同じことなので，どちらをイメージしても構わない．

1 二個のサイコロを「大」「小」として区別する．

6	(1, 6)	(2, 6)	(3, 6)	(4, 6)	(5, 6)	(6, 6)
5	(1, 5)	(2, 5)	(3, 5)	(4, 5)	(5, 5)	(6, 5)
4	(1, 4)	(2, 4)	(3, 4)	(4, 4)	(5, 4)	(6, 4)
3	(1, 3)	(2, 3)	(3, 3)	(4, 3)	(5, 3)	(6, 3)
2	(1, 2)	(2, 2)	(3, 2)	(4, 2)	(5, 2)	(6, 2)
1	(1, 1)	(2, 1)	(3, 1)	(4, 1)	(5, 1)	(6, 1)
╱	1	2	3	4	5	6

試行は独立であり，「大」の出目 1 に対して，「小」には 6 通りの出目が考えられる．以降も同様なので，上に示す互

いに排反な 36 通りの根元事象の表が得られる.

この全体が全事象となる.「大」の出目を横軸,「小」を縦軸に記した. 次に, 出目の和・積の表を作っておく.

6	7	8	9	10	11	12
5	6	7	8	9	10	11
4	5	6	7	8	9	10
3	4	5	6	7	8	9
2	3	4	5	6	7	8
1	2	3	4	5	6	7
和	1	2	3	4	5	6

出目の和

6	6	12	18	24	30	36
5	5	10	15	20	25	30
4	4	8	12	16	20	24
3	3	6	9	12	15	18
2	2	4	6	8	10	12
1	1	2	3	4	5	6
積	1	2	3	4	5	6

出目の積

2 さて, 問題が与えられれば, 後はこの数表から該当する項目を数えればよいだけである. しかも, 数える項目は僅か 36 である. 唯一残った問題は,「問の意味」が理解出来るか, 既知の言葉に翻訳出来るかという点だけである.

◆先ず「**出目の和が 6 になる確率は**」と問われれば, 表中に 6 が何個あるか, それを数えて分子とすればよい. 即ち

$$1+5, \quad 2+4, \quad 3+3, \quad 4+2, \quad 5+1$$

の五通りで, 答は 5/36 ということになる.

なお, 確率や平均を論じる場合, 分数の約分は絶対的なものではない. 特に分母は全対象の個数を表しているので, そのまま残した方がよい場合も多い.

◆このような小さな数学の場合, 素数に関する問題は, 実際に数える方法が早くまた確実である.「**出目の和が素数**

になる確率」は，この範囲の素数 $2, 3, 5, 7, 11$ に印を打って

6	**7**	8	9	10	**11**	12
5	6	**7**	8	9	10	**11**
4	**5**	6	**7**	8	9	10
3	4	**5**	6	**7**	8	9
2	**3**	4	**5**	6	**7**	8
1	**2**	**3**	4	**5**	6	**7**
和	1	2	3	4	5	6

を得る．総数は 15，よって確率は $15/36$ となる．

◆揃目の場合，以下の表が示すように，それは対角線上に位置している．総数は 6，よって確率は $6/36 = 1/6$ となる．なお，二個のサイコロの場合，揃目ならば，その積は平方数であるが，逆は成り立たない．例えば，4 は平方数であるが，$(1, 4), (4, 1)$ の組は揃目ではない．

6	(1, 6)	(2, 6)	(3, 6)	(4, 6)	(5, 6)	**(6, 6)**
5	(1, 5)	(2, 5)	(3, 5)	(4, 5)	**(5, 5)**	(6, 5)
4	(1, 4)	(2, 4)	(3, 4)	**(4, 4)**	(5, 4)	(6, 4)
3	(1, 3)	(2, 3)	**(3, 3)**	(4, 3)	(5, 3)	(6, 3)
2	(1, 2)	**(2, 2)**	(3, 2)	(4, 2)	(5, 2)	(6, 2)
1	**(1, 1)**	(2, 1)	(3, 1)	(4, 1)	(5, 1)	(6, 1)
╱	1	2	3	4	5	6

　因みに揃目はサイコロの個数に因らず，六種類しか存在しない．例えば，三個の場合なら以下の六つである．

　$(1, 1, 1)$, $(2, 2, 2)$, $(3, 3, 3)$, $(4.4.4)$, $(5, 5, 5)$, $(6, 6, 6)$

従って，揃目が出る確率は $6/6^3 = 1/36$ となる．全く同様にして，四個の場合には $6/6^4 = 1/216$ となる．

3 次に，「少なくとも一つ 3 の目が出る確率」を求める．これは和事象に関わる問題である．しかし，この考えに至る前に，全ての場合を尽くした数表が目の前にある．ここでは，これを「数える」ことから理解する．

◆そこで，表の 3 を含む項目を数える．これは「3 の行」と「3 の列」に並ぶ数を挙げていくことになる．それは表中に「十字に並ぶ」以下の 11 個である．

6	(1, 6)	(2, 6)	(3, 6)	(4, 6)	(5, 6)	(6, 6)
5	(1, 5)	(2, 5)	(3, 5)	(4, 5)	(5, 5)	(6, 5)
4	(1, 4)	(2, 4)	(3, 4)	(4, 4)	(5, 4)	(6, 4)
3	(1, 3)	(2, 3)	(3, 3)	(4, 3)	(5, 3)	(6, 3)
2	(1, 2)	(2, 2)	(3, 2)	(4, 2)	(5, 2)	(6, 2)
1	(1, 1)	(2, 1)	(3, 1)	(4, 1)	(5, 1)	(6, 1)
／	1	2	3	4	5	6

従って，確率は 11/36 となる．また，全く 3 を含まない確率は，「十字以外の項目」を数えて 25/36 となる．

答を得た今，その意味を確認しておこう．「少なくとも一つ～」とは，3 が一つ含まれる場合も，二つ含まれる場合もあるということである．換言すれば「0 個ではない」という意味であり，「0 個の場合の余事象」と考えられる．

6	(1, 6)	(2, 6)	(3, 6)	(4, 6)	(5, 6)	(6, 6)
5	(1, 5)	(2, 5)	(3, 5)	(4, 5)	(5, 5)	(6, 5)
4	(1, 4)	(2, 4)	(3, 4)	(4, 4)	(5, 4)	(6, 4)
3	(1, 3)	(2, 3)	(3, 3)	(4, 3)	(5, 3)	(6, 3)
2	(1, 2)	(2, 2)	(3, 2)	(4, 2)	(5, 2)	(6, 2)
1	(1, 1)	(2, 1)	(3, 1)	(4, 1)	(5, 1)	(6, 1)
／	1	2	3	4	5	6

ところが，これは何も 3 に限った話ではない．「少なくと

も一つ」の後に続く数は，3でも1でも，そこから導かれる確率は全く同じものになる．それは図の「L字」が示している．どのような数値を選ぼうとも，縦の線と横の線が塗る領域は11項目になる．これより直ちに，「一つも1を含まない領域」は，5×5 の正方形の部分になることが分かる．従って，今度は逆に「1を含む領域」は，これを全体から引き算して，$36/36 - 25/36 = 11/36$ と求められる．

4　しかし，ここまで来れば，確率というよりも，一辺6の正方形から一辺5の正方形を除いた「面積を求める問題」だということになる．即ち，$6^2 - 5^2 = 11$ を全体の面積 6^2 で割った結果が，$11/36$ になるという解釈である．これは「全体の面積1に対する部分の割合」が確率の意味だということを示している．このようにして，確率と面積，より広くは確率と幾何学が繋がっていくわけである．

　理論的には，サイコロ「大」が1を出す確率は $1/6$ であり，サイコロ「小」が1以外の目を出す確率は $5/6$ である．両者は独立なので，これらが同時に実現する確率は，二数の積：$5/36$ となる．一方，サイコロ「小」が1を出し，「大」が1以外を出す場合も，確率は全く同じ $5/36$ となる．このどちらの場合でも構わないということから，求めるべき確率は，これらの和：

$$\frac{5}{36} + \frac{5}{36} = \frac{10}{36}$$

となる．ただし，これは1を「一つ含む」場合の確率であり，「少なくとも一つ」ではない．この値に，揃目 $(1,1)$ の確率 $1/36$ を加えたものが，上の値 $11/36$ を再現する．

面積から確率へ

1 同じ設定で二個のサイコロの総合的問題を扱おう.「少なくとも一つ 1 が出る場合」を 事象$_1$,「出目の和が偶数である場合」を 事象$_2$ として,各確率を以下にまとめた.

6	7					
5	6					
4	5					
3	4					
2	3					
1	2	3	4	5	6	7
和	1	2	3	4	5	6

6		8	9	10	11	12
5		7	8	9	10	11
4		6	7	8	9	10
3		5	6	7	8	9
2		4	5	6	7	8
1						
和	1	2	3	4	5	6

事象$_1$: 確率は 11/36　　　　余事象: 確率は 25/36

6		8		10		12
5	6		8		10	
4		6		8		10
3	4		6		8	
2		4		6		8
1	2		4		6	
和	1	2	3	4	5	6

6	7		9		11	
5		7		9		11
4	5		7		9	
3		5		7		9
2	3		5		7	
1		3		5		7
和	1	2	3	4	5	6

事象$_2$: 確率は 18/36　　　　余事象: 確率は 18/36

右は疑似乱数を用いて,二つの事象を千回試行した結果である.何れも理論値に沿って動いていることが分かる.下段には 事象$_1$ の値:11/36,上段には 事象$_2$ の値:

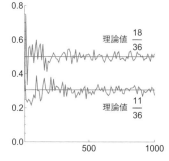

18/36 を示す水平線を付け加えた.

表を見ながら，両事象が同時に成立する，即ち二つの積事象を求めれば，和が $2, 4, 6$ となる以下の 5 例：

$$\mathbf{2}:(1,1),\quad \mathbf{4}:(1,3),(3,1),\quad \mathbf{6}:(1,5),(5,1)$$

となる．これは，下左の数表 (先の二枚を重ねたもの) と，右 (重複部を抜き出したもの) からも確認出来る．

	1	2	3	4	5	6
6	7	8		10		12
5	6		8		10	
4	5	6		8		10
3	4		6		8	
2	3	4		6		8
1	2	3	4	5	6	7
和	1	2	3	4	5	6

	1	2	3	4	5	6
6						
5	6					
4						
3	4					
2						
1	2		4		6	
和	1	2	3	4	5	6

二枚を重ねたもの／その中で重複したもの

これらの結果をまとめて，二つの事象の和事象の確率は

$$\frac{11}{36} + \frac{18}{36} - \frac{5}{36} = \frac{24}{36}$$

となる．即ち「それぞれの事象の確率の和を加え，そこから積事象の確率を引いたものになる」ということである．

これは，既出の「面積との対応」からも理解出来る．重複部を持つ図形の面積の和は，それぞれの面積を加え，重複部の面積を一つ分引くことで求められた．図に描けば以下である．なお，次の段階では「面積の比」だけを考えたいので，分母の 36 を払った形で計算を進める．

$$\mathbf{11} \quad + \quad \mathbf{18} \quad - \quad \mathbf{5} \quad = \quad 24$$

2 さて，ここからは純粋に面積の問題として考える．

今求めた図形が面積 36 の枠の中に収まっているとしよう．これを，先に紹介した図形間の関係に当て嵌めて，表の空欄を埋めていく．先ずは復習から．各面積の関係は

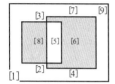

全体図	図形$_1$	左の差
図形$_2$	共通部	左の差
上の差	上の差	上の差

[1]：長方形	[2]：正方形小	[3]：[2] 以外
[4]：正方形大	[5]：重複部分	[6]：凹図形
[7]：[4] 以外	[8]：凸部分	[9]：図形外

とまとめられた．そこで，全体の面積 36，図形$_1$ と 図形$_2$ の面積 11 と 18 を書く．次に，重複部分の面積 5 を書き入れ，残りの部分を計算する．結果は以下である．

36	11	
18		

三図形の面積

36	11	
18	**5**	

重複部分の面積

⇒

36	11	25
18	5	13
18	6	12

計算した結果

表中の数値を全て 36 で割ったものが確率に対応する．しかし，問題はこの結果が「何の確率に対応するのか」ということである．そこで，図と確率の基本的な対応関係：

全事象	事象$_1$	余事象
事象$_2$	積事象	[6]
余事象	[8]	[9]

を改めて理解した上で，その意味を探っていく．

元の図形の関係は，自ら導くために何度でも確認しておきたい．そこで，今求めた値を含めて再掲しておく．

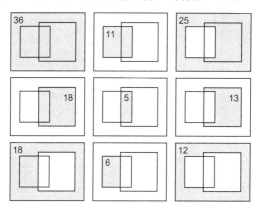

3 では，順番に空欄を埋めていこう．

◆ 番号 [6] は，表を横に見て「事象$_2$を全事象とした時の積事象の余事象」の確率である．これは「事象$_2$であって，同時に 事象$_1$でないもの」と言い換えられる．さらに，簡潔にすれば「事象$_2$のみが起こる場合」を意味している．即ち，「和は偶数であって，同時に 1 を一つも含まないもの」の確率が 13/36 だということである．

6		8		10		12
5	6		8		10	
4		6		8		10
3	4		6		8	
2		4		6		8
1	2		4		6	
和	1	2	3	4	5	6

6		8		10		12
5			8		10	
4		6		8		10
3			6		8	
2		4		6		8
1						
和	1	2	3	4	5	6

この場合の全事象 ／ 答は上の 13 個

◆ 番号 [8] は，表を縦に見て「事象$_1$を全事象とした時の積事象の余事象」の確率である．これは「事象$_1$であって，同時に 事象$_2$でないもの」と言い換えられ，さらに簡潔には「事象$_1$のみが起こる場合」を意味している．即ち，「少なくとも一つが 1 があって，同時に偶数ではないもの」の確率が 6/36 だということである．

	1	2	3	4	5	6
6	7					
5	6					
4	5					
3	4					
2	3					
1	2	3	4	5	6	7
和	1	2	3	4	5	6

	1	2	3	4	5	6
6	7					
5						
4	5					
3						
2	3					
1		3		5		7
和	1	2	3	4	5	6

この場合の全事象 ／ 答は上の 6 個

◆ 番号 [9] は，二通りの解釈が出来る．先ず表を横に見て「事象$_2$の余事象を全事象とした時の [8] の余事象」の確率であり，同時に縦に見た時の「事象$_1$の余事象を全事象とした時の [6] の余事象」の確率である．これは「事象$_1$も事象$_2$も共に起こらない場合」の確率を意味している．そして，表は二つの解釈が一致することを示している．

	1	2	3	4	5	6
6	7		9		11	
5		7		9		11
4	5		7		9	
3		5		7		9
2	3		5		7	
1		3		5		7
和	1	2	3	4	5	6

	1	2	3	4	5	6
6			9		11	
5		7		9		11
4			7		9	
3		5		7		9
2			5		7	
1						
和	1	2	3	4	5	6

この場合の全事象 ／ 答は上の 12 個

左の表

	1	2	3	4	5	6
6		8	9	10	11	12
5		7	8	9	10	11
4		6	7	8	9	10
3		5	6	7	8	9
2		4	5	6	7	8
1						
和	1	2	3	4	5	6

右の表

	1	2	3	4	5	6
6			9		11	
5		7		9		11
4			7		9	
3		5		7		9
2			5		7	
1						
和	1	2	3	4	5	6

この場合の全事象 ／ 答は上の 12 個

◆ 以上の結果をまとめれば，以下のようになる．

> 事象$_1$ のみが起こる確率： 6/36,
> 事象$_2$ のみが起こる確率：13/36,
> どちらも起こらない確率：12/36.

ところで，「事象$_1$ のみが起こる」ことと「事象$_2$ のみが起こる」ことは，互いに排反である．従って，どちらか一方だけが起こる確率は，両者の単純な和となる．即ち

$$\frac{6}{36} + \frac{13}{36} = \frac{19}{36}$$

である．これは「半分より 1/36 だけ大きい」という如何にも賭け事に使われそうな絶妙な値である．

条件付き確率

さて，「事象$_1$ と 事象$_2$ が同時に起きる確率」は 5/36 であった．既に述べたように，理論的確率とは，現実に何かが起きる前に事前に予測する，謂わば数学的な予言であった．即ち，これは試行前，あるいはその結果を知る前に「少なくとも一つ 1 を含み，しかも総和が偶数である」場合が出現する確率として求められたものである．

そのことを次の**左の表**にまとめた.

6	7	8	9	10	11	12
5	6	7	8	9	10	11
4	5	6	7	8	9	10
3	4	5	6	7	8	9
2	3	4	5	6	7	8
1	2	3	4	5	6	7
和	1	2	3	4	5	6

6	7					
5	6					
4	5					
3	4					
2	3					
1	2	3	4	5	6	7
和	1	2	3	4	5	6

二個のサイコロが生み出す 36 の可能性の中から, 五個だけが題意を充たしていた. しかし, もしここで「一方のサイコロの出目が 1 である」ことを知った時, その和が偶数になる確率は如何に変化するのか. **情報は確率に何をもたらすのだろうか**. これは確率の本質に関わる問題である.

それが右の表である. 具体的には, 以下の五例:

$$(1,1), \quad (1,3), \quad (1,5), \quad (3,1), \quad (5,1)$$

であるが, この時, 分母になるべき全事象は 36 ではない. 既に「確率 11/36 で起きる出目 1」が確定していることから, この割合で全事象は "収縮" して

$$求めるべき確率は \frac{5}{11} となる.$$

即ち, 出目 1 という情報を得た瞬間に, 25 個の可能性は消え失せ, **事象₁を全事象**とする確率の問題に変わっているのである. この「**事象₁**を条件とする **事象₂**の確率」を**条件付き確率**という. 「予言」の一部が現実化したため, その修正を迫られたということである. 計算式としては

$$\frac{事象_1 \text{ と } 事象_2 \text{ の積事象の確率}}{事象_1 \text{ の確率}} = \frac{5/36}{11/36} = \frac{5}{11}$$

で与えられるものである.

　繰り返しになるが今一度，確認しておこう.「事象₁を条件とする 事象₂ の確率」とは，事象₁ が既に起こったという認識の下で，事象₂ が起こる確率を求めたものであり，それは 事象₁ を全事象と見直した時の 事象₂ の確率となる. これは既に敷地の問題としても考察した. 共有部の面積の割合は，全体を何に取るかで変わってくる. それが確率の場合「条件付き」と呼ばれるものになるのである.

感染症と検査

1 　文章を読み取る OCR と呼ばれるソフトが日常的に使われるようになった. 商品紹介として「読取精度何パーセント」などという宣伝文が付いている場合がある. この値に対して如何なる印象を持たれるだろうか. 仮にこの値が 99 だとしても，400 字詰め原稿用紙一枚に対して「四文字の誤認識がある」ことになる.

　これは校正者には堪える量である. 新書一冊にも十万を超える文字が書かれている. 従って，そこには千を超える誤認識があることになる. 普段の生活の中で，「99 ％の精度」と言われれば，実用性充分だと判断する人が多いだろう. しかし，対象にする数が大きければ，割合が如何に高くとも，決して無視出来ない量の調整作業が必要になる.

　航空機は数百万点の部品から出来ている. 整備の問題を議論する時，仮に各部品に 99.99 ％の安全が保証されていたとしても，掛け算をすれば「数百個の部品」が不具合を起こすことになる. 勿論，部品によりその重要度は異なるか

ら一律に議論することに意味は無いが，それでも「99.99」という数字がもたらす「如何にも頼もしげな印象」に幻惑されていては，大いに危険だということが分かるだろう．

　何事に対しても 100 ％を要求する現実無視の人も居れば，99 ％の響きに酔い，安寧に浸る人も居る．どちらにも問題がある．特に対象となる数字が大きい時，人の直観は当てにならない．国家予算のことを家庭規模で考えることも，その逆も，価値ある議論を生まないのである．

　人は病み，物は壊れる．従って，冗長性が問題になる．簡単に言えば，「複数の異なるシステムを交換可能な形で準備しておく必要がある」ということである．例えば，緊急時に手動で開かない「電動ドア」は恐ろしいという認識を持つことである．冗長性と無駄は違う．それが「必要か」という議論は，「0 か 1 か」の要・不要ではなく，確率を基礎においた冗長性の観点から論ずべきことである．

2　さて，とある感染症の問題を考える．

　今，国民の中に多数の感染者が居る．感染の拡がりを断つために，早く感染者を特定して治療を促し，その後の対応策を協議していきたい．そこで検査システムを各病院に導入して，大規模な対応を始めることにした．

　このシステムは，勿論 100 ％の精度を持つものではない．今，「**感染者を感染者と認識する精度 70%**」と「**非感染者を非感染者と認識する精度 80%**」を有するものとしよう．精度が「共に 100% ではない」ということは，この検査で「陽性」と判断された人の中にも「陰性」がおり，逆

も同様だということになる．では，実際に「陽性」とされた人が感染者である割合はどの程度なのか．そこで，「**全国民の一割が感染している**」と仮定して試算してみよう．

陽性を記号「＋」に，陰性を「−」に象徴させて計算を進める．先ず，感染者の中でこの検査により陽性と判断される確率であるが，これは「感染者の確率 0.1」と「検査の確率 0.7」の積事象として，単純に両者の積を取ればよい．

これを以下のように表すことにする．

$$入力 \qquad 検査 \qquad 出力$$
$$\mathbf{0.1} : [+] \xrightarrow{0.7} (+) : \mathbf{0.07}$$

入力を示す記号 $[+]$ と出力を示す $(+)$ を，「検査の確率」を上乗せした矢印で結ぶことで，そこに「時間の経過があった」ことを暗示させている．即ち，上式は「確率 0.1 で存在する感染者に対して，さらに確率 0.7 の検査を行った結果，確率 0.07 で陽性が出た」ことを表している．

感染者か否かで二分類．そして，それぞれの中でさらに検査によって二分類ということで，全体では四種類の重複のない分類が出来る．この排反な四種類の組合せに対して，上で示した計算を行って以下を得る．

$$\left.\begin{array}{l} 0.1 : [+] \xrightarrow{0.7} (+) : 0.07 \\ 0.1 : [+] \xrightarrow{0.3} (-) : 0.03 \\ 0.9 : [-] \xrightarrow{0.8} (-) : 0.72 \\ 0.9 : [-] \xrightarrow{0.2} (+) : 0.18 \end{array}\right\} \quad \begin{array}{l} (+) : \dfrac{0.07}{0.07 + 0.18} = \dfrac{7}{25}, \\[2mm] (-) : \dfrac{0.72}{0.72 + 0.03} = \dfrac{72}{75}. \end{array}$$

改めてこれらの意味を確認しておく．左の上二行は，「確率 0.1 で存在する**真の感染者**」を正しく感染者として認識した結果と，それを非感染者と誤認した結果の確率を

列挙したものである。下二行は，「確率 0.9 で存在する**真の非感染者**」に対して，それを正しく認識した結果と，誤認した結果である。以上を受けて，右側に「陽性宣告を受けた人の中で，真に陽性である人の確率」と，「陰性宣告を受けた人の中で，真に陰性である人の確率」が求められている。何れも「検査の正答率」を示す数値である。

3 さらに図による検証を加えておく。

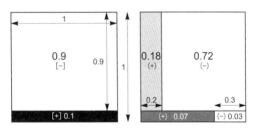

初めに与えられるのは左図，即ち全体に対して感染者がどの程度の割合を成しているかという情報である。そして，検査の後にはこの陽性領域がL字型の領域に変わる。この中で縦長の長方形は誤認したものである。各数値と図の対応を辿れば，翻って数式の意味がよく分かるだろう。

ここで，特筆すべきは二点。先ず，精度 70% の検査であっても，真に陽性である人は宣告を受けた人の 28% (7/25) に過ぎない。即ち，「陽性宣告」を受けても，「直ちに慌てる必要は無い」ということ。また，精度 80% の計算でありながら，陰性であることは 96% (72/75) という高い確率で示されている。従って，「陰性宣告」を受ければ，通常は「再検査には及ばない」ということになる。

さて，全く同じことの繰り返しになるが，「冗長性は重要」なので視点を変えて今一度．確率の面倒なところは，全体を 1 とすることから来る小数の扱いにもある．そこで，問題に登場する全ての数値を一斉に定数倍する．この問題であれば 100 倍すれば「全てが実人数の問題」になる．

即ち，「100 人中 10 人が感染」している集団において，感染者 10 人を検査すると，7 人の陽性と 3 人の陰性が出た．次に非感染者 90 人を検査すると，72 人の陰性と 18 人の陽性が出た．そこで，全体で 25 人に陽性反応が出たことを告知した．しかし，18 人の陽性告知は間違いであり，さらに 3 人の感染者を見逃す「より深刻な間違い」もしている．仮に一億国民に同設定の検査をすれば，2100 万人に誤った告知をすることになる．これは大いに困る．

4 先例では，切りの良い数値を選んだが，次に感染確率がより低い実際的な場合を考えよう．ここでは，全体の 1/100 が感染していると仮定して，同様の計算を行う．

$$\left.\begin{array}{l} 0.01 : [+] \xrightarrow{0.7} (+) : 0.007 \\ 0.01 : [+] \xrightarrow{0.3} (-) : 0.003 \\ 0.99 : [-] \xrightarrow{0.8} (-) : 0.792 \\ 0.99 : [-] \xrightarrow{0.2} (+) : 0.198 \end{array}\right\} \quad \begin{array}{l} (+) : \dfrac{0.007}{0.007 + 0.198} = \dfrac{7}{205}, \\[2mm] (-) : \dfrac{0.792}{0.792 + 0.003} = \dfrac{792}{795}. \end{array}$$

結果をパーセントに直すと，以下のようになる．

$$(+) : 約 3.4\%, \quad (-) : 約 99.6\%$$

何と実際の感染者は，陽性の告知を受けた者の僅か 3% 程度である．誤認の理由は明白である．この場合，絶対的な

多数派である非感染者の集団 [−] に対する検査の誤認が大きく影響して，その分母を大きくしているからである．

逆に，六割が感染している集団にまで絞り込めれば

$$
\left.\begin{array}{l}
0.6:[+] \xrightarrow{0.7} (+):0.42 \\
0.6:[+] \xrightarrow{0.3} (-):0.18 \\
0.4:[-] \xrightarrow{0.8} (-):0.32 \\
0.4:[-] \xrightarrow{0.2} (+):0.08
\end{array}\right\}
\quad
\begin{array}{l}
(+):\dfrac{0.42}{0.42+0.08}=\dfrac{21}{25}, \\[2mm]
(-):\dfrac{0.32}{0.32+0.18}=\dfrac{16}{25}.
\end{array}
$$

となり，84% (21/25) の確率で正解が出せる．

このように，検査する集団によって結果は極めて鋭敏に変動する．従って，無作為に検査を実施しても，望む結果は得られない．自覚症状がある者か，別の検査により疑念がある者かを選んで，元になる確率を上げておかなければ，決して意味のある検査は出来ないということである．

本問は，条件付き確率の例として採り上げられ，また著名な定理の帰結として議論されることも多いが，そのような特段の知識がなくとも，ここで示した「記法の更新」と図解のみで本質的意義は充分に捉えられる．

データの分析

サイコロは，「データ分析の手法」を学ぶに際しても，安全かつ安価な絶好の教材である．そのデータから，「一つの数値」として対象の特徴を引き出すのが代表値である．代表値には様々な種類がある．その「代表」を紹介する．

先ず，御馴染みの**平均値**である．これは対象の値の総和を，その全個数で割った結果である．ただし，「現実の問題」を扱う場合には，**加算・減算は同種の量にしか適用出**

来ないことは常に意識したい．例えば，身長と体重の平均：$(170+60)/2 = 115$ は実際的な意味を持たない．同種の場合でも，「1 歳, 3 歳, 31 歳, 33 歳の四人家族」に対して，$(1 + 3 + 31 + 33)/4 = 17$ を平均年齢とするのは適切ではない．この数値が予想させるのは高校生の四人組である．

次に，**中央値** (メジアンともいう) を紹介する．これは，データを大きさ順に並べた場合，例えばサイコロなら「$1, 2, 3, 4, 5, 6$」の序列の中央を取ったものである．データが奇数個の場合には中央の値を，偶数個の場合には中央に隣り合う二数の平均を取る．この場合は偶数なので，中央の二数の平均：$(3 + 4)/2 = 3.5$ が中央値になる．

続いて，確率に関連した話題から．各々の出目の値とその出現確率の積を取り，それら全体の和を取ったものを**期待値**という．期待値とはその名の通り，一回の試行の際に期待される出目の値である．例えば，理想のサイコロの場合，出目の確率は全てにおいて $1/6$ なので，その期待値は

$$1 \times \frac{1}{6} + 2 \times \frac{1}{6} + 3 \times \frac{1}{6} + 4 \times \frac{1}{6} + 5 \times \frac{1}{6} + 6 \times \frac{1}{6} = \frac{7}{2} = 3.5$$

となる．このように，全ての出目が等確率で出現するサイコロの場合，期待値は平均値と同じ値になる——中央値とも一致している．この値が示しているのは，「一回の試行の出目は 3.5 程度が期待される」ということである．

度数の分布

先ずは，各目が等確率で出ることを仮定する数学的確率の立場から考えた．しかし，実際の出目は異なる．1 の目

が十回続いても，次に別の目が出る「確率」が高まるわけではない．毎回の試行は「独立」である．

データ分析では，データを一定の区間に分け，その中に入るデータの個数を元に議論を進める場合が多い．この区間を階級，その幅を階級幅，各階級の両端の平均を階級値，個数を**度数**，最も度数が多いデータの値を**最頻値**という．以下は，実際に 24 回サイコロを振ったデータである．

| 3 | 3 | 6 | 6 | 1 | 1 | 3 | 5 | 4 | 6 | 2 | 5 | 1 | 3 | 5 | 3 | 5 | 3 | 2 | 5 | 4 | 1 | 4 | 6 |

出目そのものを階級と見て，その度数を整理すると左下のようになる．これを**度数分布表**といい，横方向に階級，縦方向に度数を取った右下の図を**ヒストグラム**という．

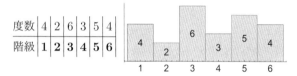

度数	4	2	6	3	5	4
階級	**1**	**2**	**3**	**4**	**5**	**6**

さらに詳細を調べるために，度数分布表に次の派生的な計算を加える．先ず，各階級の度数の「全体に対する割合」を**相対度数**といい，「最初の階級から，順にその階級までの相対度数を合計」したものを**累積相対度数**という．同じ意味で「度数を累積」したものを**累積度数**という．

階級	度数	相対度数	累積相対度数	階級	累積度数
1	4	$4/24 = 0.16\dot{6}$	$4/24 = 0.16\dot{6}$	1 以下	4
2	2	$2/24 = 0.08\dot{3}$	$6/24 = 0.25$	2 以下	6
3	6	$6/24 = 0.25$	$12/24 = 0.5$	3 以下	12
4	3	$3/24 = 0.125$	$15/24 = 0.625$	4 以下	15
5	5	$5/24 = 0.208\dot{3}$	$20/24 = 0.8\dot{3}$	5 以下	20
6	4	$4/24 = 0.16\dot{6}$	$24/24 = 1$	6 以下	24

当然の話ではあるが，出目に偏りが出ている．「1と6」は出現の頻度が理論値と同じ 1/6 で，「3と5」は理論値より大きく，「2と4」は理論値より小さい．このような実験データに基づく頻度を扱うのが**統計的確率**の役割である．

この場合の最頻値は3である——「多くの試行を想定し，その中で全ての目が均等に出る」という理論的な仮定の下では，最頻値は自明でしかないが，実際のデータを処理する場合には重要な指標となる．この時，期待値は

$$1 \times \frac{4}{24} + 2 \times \frac{2}{24} + 3 \times \frac{6}{24} + 4 \times \frac{3}{24} + 5 \times \frac{5}{24} + 6 \times \frac{4}{24} = \frac{87}{24}$$

より 3.625 となり，理論値の 3.5 よりも高い．このように，数学的確率から理論値が導かれる場合，実際のデータと比較出来る．そして，試行回数を増やせば増やすほど，「理論値と実験値が接近していく」ことが期待される．

しかし，台風や火山の噴火，地震など自然界における一回性の現象に厳密な理論は存在しない．多くのデータを集め，そこから抽出される共通性を経験法則としてまとめ，内在している原理を探求していく以外に方法は無い．データ分析において，代表値や度数分布，グラフなど多くの概念を用いるのは，「分析には任意性があり，個々の問題に応じて適切な組合せを模索する必要がある」からである．

分布の表現

1 二個のサイコロの出目の和と積を再考する．先ずは和の場合，36枡中の同じ値を縦に揃え，最下段にその個数を描くと次のようになる——中央値，最頻値ともに 7.

```
                    7 │ 8   9   10   11   12
                 6  7 │ 8   9   10   11
              5  6  7 │ 8   9   10
           4  5  6  7 │ 8   9
        3  4  5  6  7 │ 8
     2  3  4  5  6  7 │
     1  2  3  4  5 │ 6 │ 5   4   3   2   1
```

実験値とは異なり，バラツキはなく分布にも高い対称性が見られる．出目は，2 から 12 までの 11 種類，期待値は

$$2 \times \frac{1}{36} + \cdots + 7 \times \frac{6}{36} + 8 \times \frac{5}{36} + \cdots + 12 \times \frac{1}{36} = \frac{252}{36} = 7$$

となる．この値は「一個のサイコロの期待値 3.5」の二倍である．即ち，「和の期待値は期待値の和」になっている．以上，中央値，最頻値，期待値，全てが等しく 7 となった．

積の度数分布表のために，表の同じ値を縦に揃えると

```
                 6 │         12 │          18      24        30  36
              5    │      10    │ 15           20       25  30
           4       │ 8       9  │ 12 │ 16        20  24
        3       │ 6    │ 9         │ 12 │ 15       18
     2     4    │ 6  8      10 │ 12
     1  2  3  4  5 │ 6
     1  2  2  3  2 │ 4 │ 2  1  2 │ 4 │ 2   1   2    2   2   1   2   1
```

となる．値だけを取り出すと，以下の 18 種類である．

$$\underline{1, 2, 3, 4, 5, 6, 8, 9, 10}, \ \underline{12, 15, 16, 18, 20, 24, 25, 30, 36}.$$

中央値は $(10 + 12)/2 = 11$，最頻値は度数 4 の 6 と 12 である．期待値は $441/36 = 12.25$ となるが，これは 3.5^2 であるから，この場合には「積の期待値は期待値の積」が成り立っている．これは「サイコロの試行が独立である」が故の結果である——和の場合は独立でなくても成り立つ．

2 さて，積の度数分布表に戻って，グラフを描くと

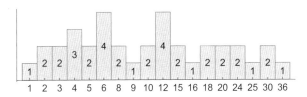

となる．ここでは，度数の存在する部分のみ記したので，階級は不連続である．特に大きな値では空所が目立つ．そこで，階級幅を 6 と定め，全体を六分割するように階級を決めると，度数，相対度数，累積相対度数は次のようになる――ここで，階級値は「階級の両端の値の平均」，例えば，$(1+6)/2 = 3.5$, $(7+12)/2 = 9.5$ などである．

階級	階級値	度数	相対度数	累積相対度数
$1\sim6$	3.5	14	$14/36 = 0.38\dot{8}$	$14/36 = 0.38\dot{8}$
$7\sim12$	9.5	9	$9/36 = 0.25$	$23/36 = 0.63\dot{8}$
$13\sim18$	15.5	5	$5/36 = 0.13\dot{8}$	$28/36 = 0.77\dot{7}$
$19\sim24$	21.5	4	$4/36 = 0.11\dot{1}$	$32/36 = 0.88\dot{8}$
$25\sim30$	27.5	3	$3/36 = 0.08\dot{3}$	$35/36 = 0.97\dot{2}$
$31\sim36$	33.5	1	$1/36 = 0.02\dot{7}$	$36/36 = 1$

ヒストグラム (**右下**) を描けば，偏りはより明確である．

3 データの概要を把握するために，**五数要約**と呼ばれる次の五つ組を考える．これはデータを小さい方から順に一列に並べ四等分した時，その分

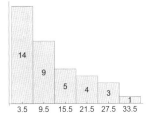

割点の値により全体を代表させる手法である．次頁の図により示されるように，「中央値」を境に分けられた下位と

上位のデータのそれぞれの中央値を求め，それを「第1四分位数」「第3四分位数」と名付ける——中央値は「第2四分位数」になる．これに「最小値」「最大値」を加えた五つである．第1，第3の四分位数は，データの総数と分割方法によって設定の仕方が変わるが，その基本は「中央値を定義した方法」と同じ，「足して2で割る」手法である．

これらをまとめた図を**箱髭図**という．全体の区間を「範囲」，箱の幅を**四分位範囲**，これを2で割ったものを**四分位偏差**と呼び，データのバラツキの指標にする．

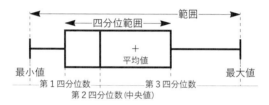

与えられた具体的なデータから，この図を描くことは極めて容易である．例えば，データ：$0, 2, 3, 4, 6, 8, 12$ は上の図版を再現する数値の組であり，以下のようになる．

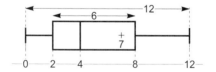

ここで，四分位偏差は $6/2 = 3$ である．箱髭図の実用上の価値は，図からデータの概要を推察して，他と比較出来る点にある．この意味で，描くよりは読むことに重点を置いて図式に慣れる必要がある．

第6章　　　　　　　　　　　　数学の言葉

方程式と論理記号

　赤と白と聞いて，イメージするものは人それぞれだろう．運動会の玉入れを懐かしむ人も居れば，試験に出た赤血球・白血球を思い出す人も居る．成人なら，食卓を彩るワインを連想する人もかなり居るのではないだろうか．

1　赤ワインと白ワイン，代表的なこの二種のワインを購入するという状況を考えよう．価格はドルとする．多少なりとも実際の価格を反映しようと思えば，円では数値が大きくなり過ぎ，本質とは無関係な計算を強いられる．そこでドル設定にした次第である．他意は無い．

　赤ワインの価格を 値$_赤$，白ワインを 値$_白$ と表記する．なお，以下の問題では必ず「赤ワインの方が白ワインよりも高価」であり，価格はドル単位で端は出ないものとする．

　最初の問題は以下のようなものである．

> 問題1：赤ワインを七本買って，100 ドル支払ったところ，お釣りが 9 ドルあった．赤ワインの価格は幾らか？

手元にある「価値」と支払った分の「価値」は等しいはずだから，「ワインとお釣りの和」と 100 ドルは等しく

$$\overbrace{値_赤 \times 7 + 9}^{In} = \overbrace{100}^{Out}$$

となる．問題の中から，所望の数 (これを**未知数**と呼ぶ) と既知の数による関係を見出し，等号によりまとめたものが方程式である．特に，未知数が冪の形に限定されたものを**代数方程式**という——因数分解により解ける場合がある．

この場合，先ず 100 を移項して，「左辺 = 0」の形を作る．

$$値_赤 \times 7 - 91 = 0.$$

これが方程式の標準形である．なお，代数方程式を充たす答のことを，特に**根**という．このように，未知の項が一次の式である場合，これを**一次方程式**という．

では根を求めよう．全体を 7 で割り，定数項を移項して

$$値_赤 - 13 = 0 \quad より, \quad 値_赤 = 13$$

を得る．よって，赤ワインの価格は 13 ドルである．

注意

現在，学校数学では全てを「解」で統一しようとしている．しかし，解は重複した答を一つと見做すのに対して，根はそれを区別する．元々は，多項式の分解に由来し，その構成の「根拠」となることから，根 (root) と呼ばれるのである．「根の公式」を筆頭に，重根，実根，虚根と消された用語は数知れず．平方根も累乗根も手付かずなのに，その起源である「根」が，原義にも配慮されず排除対象になっている．誠に理解に苦しむ次第である．

> 問題2：赤と白のワインの価格が，以下の方程式に隠されている．これを解き，赤・白の各々の価格を求めよ．
>
> $$値^2 - 値 \times 24 + 143 = 0$$

　この種の方程式は，未知数の最高次数をもってその名とする．従って，この場合は二次方程式となる．この式の左辺は，容易に因数分解することが出来て

$$(値 - 11)(値 - 13) = 0. \quad よって \quad \underline{\underline{値：11, 13}}$$

となる．そして，問題の前提条件より，赤ワインの価格は 13 ドル，白ワインの価格は 11 ドルと決まる．

2　ところで，上の二重下線：11 と 13 の間にある「カンマ」は如何なる意味なのか．既に述べたように，数学は常に記号不足に悩んでいる．圧倒的な記号欠乏症である．従って，大半の記号は使い回しされ，多義的になっているので，前後の文脈によって，それが示す意味を推論しなければならない．数学的な常識が問われるところである．

　中でもカンマは特に酷い状況にあり，改善される気配もない．例えば，以下は「列挙のカンマ」と呼ばれている．

$$1, \ 2, \ 3, \ 4, \ 5, \ldots$$

このカンマは，数値の区切りを示す「単なる分離記号」と捉えてよい．さて，本問の場合である．これは，二次方程式の根のどちらか一方を指す「又はのカンマ」である．即ち，「答は 11 又は 13 である」という意味である．ここで

言う「又は」とは，論理学用語としてのそれである．この点を強調するために「漢字表記」とした．

　如何にも誤認しそうな小さな記号に，こんな大役を背負わせているのである．「文脈を読めば間違わない，慣れれば問題ない」として済ませてはおけない．そこで，現状の混乱を緩和し，さらに複雑な計算も見通しよく出来るように工夫した「論理を記述するための独自記号」を導入する．

$$\text{根は} \quad \left[\text{値} = 11 \,\middle|\, \text{値} = 13\right]$$

と書くのである．これなら，見落としや誤認も無く，しかも簡単に書くことが出来るので非常に便利である．また，他の記号との重複も無い．論理記号としての定義や，取り扱いについては後述することにして，今は先に進む．

3　さて，別種の工夫を必要とする問題に移ろう．

> 問題3：赤ワイン三本と白ワイン五本を買って，94ドルを支払った．それぞれのワインの価格を求めよ．なお，赤ワインは白ワインよりも2ドルだけ高かった．

　問題で示された関係を，そのまま数式に転写すると

$$\text{値}_\text{赤} \times 3 + \text{値}_\text{白} \times 5 = 94 \quad \boxed{,} \quad \text{値}_\text{赤} - \text{値}_\text{白} = 2$$

となる．さて，問題を解く前に，上に記された二条件の狭間に位置する箱囲みの「カンマ」の意味を考えておこう．これは「列挙」でも「又は」でもない．二つの未知数の関係を，二つの方程式の「同時成立」により定めたものである．これは**連立方程式**と呼ばれている．鍵となるのは「同

時成立」であり，これは論理用語の「且つ」に対応している．即ち，これは「且つのカンマ」ということになる．これもまた「漢字表記」とした——こうすることで「又は」と「且つ」が共に二文字表記となり，今後これらの対応関係を論じる際に非常に都合が好くなる．

　一般に，連立方程式は，縦に並べた式の左側を波括弧で束ねて示す．しかし，これだけでは「複数の式の同時成立」の印象が薄い．そこで「且つ」を表す新記号：

$$\begin{bmatrix} 値_{赤} \times 3 + 値_{白} \times 5 = 94 \\ 値_{赤} - 値_{白} = 2 \end{bmatrix}$$

を導入する．これは，単に波括弧を角括弧に替えただけではない．角括弧により閉じた空間が作られており，その内部で縦に列挙された要素に対して，ある計算規則が作用しているのである．この記号に関しても詳細は次章に譲る．

　さて，本題に戻って連立方程式を解いていこう．先ずは，二式に共通する要素で「互いに打ち消し合いそうなもの」を探す．この場合であれば，白の符号に注目して，下の式を五倍したものを作り，上の式と組合せて

$$\left. \begin{array}{l} 値_{赤} \times 3 + 値_{白} \times 5 = 94 \\ 値_{赤} \times 5 - 値_{白} \times 5 = 10 \ (+ \\ \hline 値_{赤} \times 8 \qquad\quad = 104 \end{array} \right\} より \left\{ \begin{array}{l} 値_{赤} = 13. \\ \quad よって \\ 値_{白} = 11 \end{array} \right.$$

を得る．鍵は「一方の未知数を消去すること」にある．
　あるいは，第二式より「$値_{赤} = 値_{白} + 2$」を作り，第一式に代入・整理して求める方法もある．即ち

$$94 = 値_赤 \times 3 + 値_白 \times 5$$
$$= (値_白 + 2) \times 3 + 値_白 \times 5$$
$$= 値_白 \times 8 + 6$$

より

$$値_白 \times 8 = 88.$$
$$よって$$
$$値_白 = 11$$

である．後は元の第二式から，$値_赤$ が求められる．ここでの鍵は「代入」である．

不定方程式と互除法

1 続いては，「定まらないもの」を定める方法，不定方程式を紹介する．これは答を得るために必要な条件を，自分で見出していく問題である．各種の設定は先と同様．

> **問題4**：赤ワイン三本と白ワイン五本を買って，94ドルを支払った．なお，品質を揃えたいので，赤・白の金額差を最小にした．それぞれのワインの価格を求めよ．

具体的な数値が含まれた関係は

$$与式 = 94. \ (ここで, 与式 := 値_赤 \times 3 + 値_白 \times 5)$$

だけである．なお，本問では附加的条件としての「赤は白より高い」は外し，値段には「端がない」を残す．

未知数の個数と「独立した方程式」の個数が一致しない限り，連立方程式は機能しない．答が一つに決まらないのである．さて，ここで言う「独立」とは，一方が他方の定数倍でないことである．例えば

$$「値_赤 - 値_白 = 2」と「値_赤 \times 2 - 値_白 \times 2 = 4」$$

は独立ではない．これは「異なる二式」とは見做されない．

従って，この問題にはこれまでと異なる解法が必要となる．そこで，互除法を思い出して，上の関係を見直してみよう．以下の二つの方程式が，本問考察の基礎となる．

> ①：与式 $= 1$ の 特殊解 (一つの解) を，
> ②：与式 $= 0$ の 一般解 (全ての解) を

導き，これらの解を共に順序対 (赤・白の順で) を用いて

$$(値_赤, 値_白)$$

と簡潔に表すことにしよう．ここで重要なことは，二式の右辺の値に注目すれば，$1 + 0 = 1$ であることから，「二種の解を加えたもの」が，再び右辺を 1 にすること，即ち，「与式 $= 1$」の解になることである．

2 係数 3 と 5 は互いに素なので，本問に解は存在する．そこで，先ずは二数に互除法を適用する．

$$(5 \overset{3}{\equiv})\ 2 = 5 - 1 \times 3 \quad \text{：第一行,}$$
$$(3 \overset{2}{\equiv})\ 1 = 3 - 1 \times \underline{\mathbf{2}} \quad \text{：第二行.}$$

これらの関係から，①の特殊解を求める．第二行に第一行を代入することで，下線が引かれた 2 が消去される．

$$
\begin{aligned}
1 &= 3 - 1 \times 2 &&\text{：二行目} \\
&= 3 - 1 \times (5 - 1 \times 3) &&\text{：代入} \\
&= (2) \times 3 + (-1) \times 5 &&\text{：整理}
\end{aligned}
$$

こうして，1 を「3 と 5 で表すこと」が出来た．即ち，特殊解：$(2, -1)$ が求められたわけである．さらに，全体を 94 倍して「与式 $= 94$」を充たす解：$(94 \times 2, -94 \times 1)$ を得る．

次に、②の一般解の「鍵」は、係数の襷掛けから、例えば $(-5, 3)$ と求められる。この時、これを二倍した $(-10, 6)$ も、三倍も四倍も解になることから、一つの定数を用いて

$$(-5 \times 定数, \ 3 \times 定数)$$

と表せる。これが最も一般的な解である。

以上より、これら二種類の解の和：

$$(188 - 5 \times 定数, \ -94 + 3 \times 定数)$$

は所望の関係を充たす。実際に代入して確かめると

$$値_赤 \times 3 + 値_白 \times 5$$
$$= (188 - 5 \times 定数) \times 3 + (-94 + 3 \times 定数) \times 5$$
$$= 564 - 15 \times 定数 - 470 + 15 \times 定数 = 94$$

となり、定数の値に因らず成り立つことが分かる。

3 さて、確かに解は得られたが、本問は具体的なワインの価格を問う問題であり、負数は題意を充たさない。そこで、実際に定数値を定めて、両価格が正の値になる範囲を求めると、それは「32 から 37 の範囲に限定される」ことが分かる――31 以下と 38 以上では、一方が負の値になる。列挙すると以下のようになる。

$$(188 - 5 \times \mathbf{32}, \ -94 + 3 \times \mathbf{32}) = (28, 2), \ 差：+26$$
$$(188 - 5 \times \mathbf{33}, \ -94 + 3 \times \mathbf{33}) = (23, 5), \ 差：+18$$
$$(188 - 5 \times \mathbf{34}, \ -94 + 3 \times \mathbf{34}) = (18, 8), \ 差：+10$$
$$(188 - 5 \times \mathbf{35}, \ -94 + 3 \times \mathbf{35}) = (13, 11), \ 差：+2$$
$$(188 - 5 \times \mathbf{36}, \ -94 + 3 \times \mathbf{36}) = (8, 14), \ 差：-6$$
$$(188 - 5 \times \mathbf{37}, \ -94 + 3 \times \mathbf{37}) = (3, 17), \ 差：-14$$

グラフにすれば明瞭である。ここで縦軸は価格、●は赤、○は白ワインを示している。縦に並んだ「●と○の差」が、両ワインの価格差を表している。この結果から、「13ドルの赤」

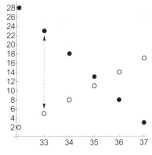

「11ドルの白」を選ぶことが、最も価格差が小さい。

言葉と文法

　論理的な話し方だとか、論理的な文章の書き方だとかが様々な場面で話題になっているが、「起承転結を意識して、接続詞を適切に選べ」といった程度の話が多い。本当に論理的であるためには、先ずは論理学の初歩である「又は」と「且つ」と「否定」を理解する必要がある。

　ガリレイは斯く語りき：

　　　『自然という書物は数学の言葉で書かれている』

しばしば「数学は言語である」と言われる。「数学は道具」とも言われる。何れも核心を突いているようで、少々外れている。数学を外から見ているからである。

　内側に居る数学者は、どう見ているか。『数学の本質はその自由性にある』とはカントルの言葉である。ではそれは如何なる自由か。「それは人間精神の自由であり、それを讃えるためにこそ数学はある」とギブスは言った。

現実の世界から一切の縛りを受けない，完全な自由を数学は享受している．想像力の枯渇(こかつ)だけが，それを制限する．そのことを彼等は伝えたかったに違いない．言葉であり道具であり，そしてそれ以上のもの，人生を生きるに値するものにする純粋な何かが数学にはある．

　では，その数学は何によって書かれているのか．数学で用いられる言葉は，**論理**である．それに伴走する**集合**である．そして，全てを繋ぎ補完する通常の自然言語である．

1 　論理が，最初に扱う対象は**命題**である．

　命題とは「真か偽か」の二者択一で決まる主張のことである．これを値と見て**真理値**と呼ぶ．ただし，その値は論理自身ではなく，「設定」あるいは「定義」として外から与えられる．例えば「命題1」と書かれた段階で，この主張は「真・偽」の何れかである．これは**排中律**(はいちゅうりつ)(**中を排して両極端のみを取る規律**)を採用したことの結果である．対象を命題に限定した論理を**命題論理**という．

　なお，「二択の表現」には様々なものがある．論理学においては「真・偽」であるが，計算機においては「1・0」．電気回路では「5V・0V」である．日常会話においては「Yes・No」かもしれない．シェイクスピアなら「to be・not to be」．印象的な表記としては「○・×」が挙げられる．

　以上が，論理学における命題の立ち位置である．ここに慣習的な話，数学における立ち位置の話が重なる．命題の定義は同様であるが，数学においては，これを「命題」「公式」「定理」「補題」「系」と，その重要度，関連性に応

じて呼び分ける．しかし，区別は全く主観的であり明確な基準は無い．また，証明済みの事項に関しては，それを如何なる名前で呼ぼうとも，通常「真である」ことが前提である．一般に，真偽不明のものにその名は与えない．従って，「〜は真」という**重要な宣言が略される**ことになる．

過度にその厳密性を謳(うた)うあまり，顰蹙(ひんしゅく)を買うことも稀(まれ)ではない数学 (者) であるが，この辺りの対応は誠に臨機応変，融通無碍(むげ)である．「慣れれば分かる」「この方が便利」といわれても，この発言の落差に初学者は目眩(めまい)を覚えるだろう．理由の大半が「煩雑」「面倒」「見難い」というものであり，決して「論理的」なものではない．数学そのものは厳密であっても，それを扱う人間は厳密ではない，いや「それに堪えられない」というのが実情であろう．

例えば，「命題1：実数の二乗は非負である」とあれば，頭の中で「〜は真である」と添える．以降，「命題1である」と書かれていても，単に「命題1」とだけあっても，そこには省略があると考えて，「真」を補って読む．命題を「問」だと見て，「先ずはその真・偽を」と考えるのが「論理学の書法」であり，それを「答」だと見て議論を進めていくのが一般的な「数学の書法」である．

2 譬えれば，命題論理は完成した一枚の絵である．そこに不確定要素は無く，真・偽の何れかが描かれている．

和語	又は	且つ	否定
英語	**or**	**and**	**not**
記号	∨	∧	―

構造を持たない単純な命題を，これらの論理結合子により繋いで，より複雑な命題が構成される．「又は」を論理和，「且つ」を論理積ともいう．両者は二つの命題の間に入って機能するのに対し，**否定**は命題の頭部を飾る．

絵を集め，物語を添えて画集を作ることが出来るわけである．一枚絵に相当する命題を「要素命題」，画集に相当する命題を「複合命題」と呼ぶ．また，複合命題を**論理式**とも呼ぶ．要素命題は論理式における最小の単位である．

一方，不確定の要素を含み，その要素を定めることで真偽が確定して命題になるものを**述語**と呼ぶ——文法の主語・述語から転用された名称である．譬えれば，述語は無数の静止画を束ねた動画である．番号を指定して，その瞬間の静止画を抜き出し，そこに描かれた真・偽を議論することが出来る．これを**述語論理**という．その結果，「ある特定の番号で真」であるか，「考察すべき全ての番号で真」であるか，といった問題意識が生じてくる．こうした追加の要請から，述語は命題に変じるわけである．

3 この意味で，命題論理と述語論理は同じ枠組の中にある．これを補完し，自らの基礎ともしているのが集合である．集合の本質は，対象がある集まりに「属するか否か」という帰属関係にある．そして，それらが拡がりを持つ時，「含むか否か」という包含関係が問題になる．前者を象徴する記号が「$\in$」であり，後者のそれが「$\subset$」である．

実体を持たない論理を，集合は見事に視覚化する．直観を刺激し，細部を見失わないよう照らしてくれる．その一

方で，集合の計算規則は論理に支えられている．精密な議論を誘導し，全体を矛盾なく統べている．以後，論理と集合の密なる関係を明かしていく．初めに「標準的な記号」によって，命題論理の基礎を概観し，その後，それらの記号の弱点を補う「独自の記法」について説明する．

和と積と否

1 最初に「否定」を扱う．これは一つの要素命題を対象とするものであり，真と偽が互いに反転する，即ち

$$\overline{真} \text{ は 偽 であり，} \overline{偽} \text{ は 真．従って，} \overline{\overline{真}} \text{ は 真．}$$

否定の否定は肯定になる．これは排中律そのものである．

二つの要素命題を対象とする時，その真・偽には「異なる四種類の場合」が生じる．先ずは，論理和と論理積を扱おう．これらは，二箇所の空欄 (スロット) に命題が収まり，その真・偽によって自身が定まる「二入力・一出力」の形式で「定義」されている．

入力1		入力2	出力
真	∨	真	真
真		偽	真
偽		真	真
偽		偽	偽

論理和

入力1		入力2	出力
真	∧	真	真
真		偽	偽
偽		真	偽
偽		偽	偽

論理積

即ち，論理和は「偽・偽の組合せ以外，全て真」であり，論理積は「真・真の組合せ以外，全て偽」である．

結合子の左に位置する命題 (入力1) を前件，右 (入力2) を後件という．これら二つの結合子は，前件と後件を入れ

替えても結果は変わらない．この性質より，加法・乗法の類似と見て，「〜和」と「〜積」と名付けているのである．

このように，真理値を重複なく漏れなく列挙したものを真理値表という．同一の真理値表を持つ対象は，論理的に全く同じものである．これが先にも紹介した**同値**である．

2 さて，再び「命題とは何か」という基本に戻る．

論理結合子により，要素命題から複合命題を作った．しかし，複合命題も命題である以上，「真・偽が確定した一つの主張」である．従って，単に論理和，論理積がそこに書かれていても，「〜は真である」を添えて，真の場合のみを考えることになる．その結果，二要素に真・偽を入力することで，四通りの出力が得られた「箱」が，「真」なる出力に対して「如何なる入力が可能であるか」，その組合せを探る「箱」に変じる．よって，論理積に関しては，「二要素が共に真の場合のみ」を考えればよいことになる．

注目すべきは論理和である．この場合，二要素が共に真でも論理和は真になる．これは，日常使っている「どちらか一方」という意味での「または」という言葉とは異なる．

宝籤で「冷蔵庫または洗濯機が当たる！」とあれば，日常的には，どちらか一方が当たるという意味であるが，論理的には両方が当たる可能性を排除しない．

しかし「明日ロンドンまたはシカゴに行きます」と言われれば，両方に行く可能性は物理的に排除される．“常識的”に判断するか，“論理的”に判断するか，“物理的”に斟酌するか，先ずは判断基準を判断する必要がある．

勿論,「どちらか一方」という意味で, 他を排した論理和を定義することも出来る. これは**排他的論理和**と呼ばれている. なお, 既に示したように「且つ・又は」と書くことを勧めるのは, 両者の字数を揃える意味と共に, "非日常への誘い" としての効果も狙ってのことである.

含意とは

　さて, この三種類の結合子で話は尽きた. 後は, これらの組合せとして構成出来るので, 謂わば「オマケ」である. しかし, 人が扱いやすいか否かは別問題であり, そのために実用上重要な形式が幾つか用意されている.

　例えば,「前件の否定と後件の"論理和"」を**含意**と呼ぶ. その重要性に鑑み, 含意には特別の記号「$\Longrightarrow$」が与えられており, これを「ならば」と読む. この時, 真理値表に基づく「ならば」の直接的な定義は以下のようになる.

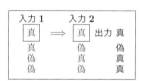

論理和・論理積と同様に, ここでも「全体を真」と縛った上で, そこから生じる「前件と後件の関係」を探りたい.

　実際には, 前件 (入力 1) を「仮定」, 後件 (入力 2) を「結論」と呼ぶことが相応しい場合が多い. これが「ならば」と読む理由である. ただし, 書面でも口頭でも「もし〜ならば」と仮定を挟む形で使う習慣を付けたい.

　数学に限らず，「矢印」は非常によく使われる．そ
れは，等号のような強い意味ではなく，関係を示唆する
「気分」や「雰囲気」を表すには丁度良い不定性を持って
いるからであろう．象形文字としての印象も強く，紙面
上での誘導や場所の指定にもよく用いられている．

　最も一般的で，多義的であることでも他を圧倒してい
る矢印を，論理に独占させることには無理がある．代入
を示唆するにも，極限を示すにも，勿論ベクトルの表記
にも活用したい．実際「文脈を読む」という前提で，これ
らは併用されている．しかし，少しでも誤解を減らすと
いう立場からは，記号と概念の対応関係は，出来る限り
「一対一」に近い方が望ましいことは当然である．

　ただし，含意が日常語の「ならば」と異なるのは，「仮
定」が偽の時，続く「結論」に因らず，結果は真になるこ
とである．即ち，前段で荒唐無稽な仮定をしようと，結果
は「論理的に」正しいことになる．例えば，「地球が平ら
ならば，$1+1=3$ である」という主張は「真」である．

　含意に関する二命題に対して，その交換と否定を考える
と四種のパターンが生まれる．仮説と結論を共に否定した
ものを裏，両者を交換したものを逆，逆における両者を否
定したものを対偶という．図案化すれば

となる．各々の真理値表を作り，付き合わせれば，**対偶が**

同値であることが確かめられるだろう．数学における証明の多くは，含意とこの図に示された関係を利用している．

注意

　　　論理和の場合と同様に，含意と「日常語のならば」の差異に常に意を払う必要がある．論理は量や時間を直接の思考対象としないので，この点を誤解すると幾らでも「奇怪な真」を作り得る．従って，日常的な話題を例に，その働きを理解しようとしても上手くいかない．

　先ず，前件と後件の関連性は問われない．全く無関係でも，前件が偽であれば全体は真になる．また，これは二要素の因果関係を表しているわけでもない．通常，原因と結果の間には一方向の時間の流れが想定されている．結果の後に原因は生じない，それは定義矛盾である．

　因果関係を記述するのは物理学の仕事である．例えば，運動方程式 $ma = F$ は，右辺の力 F が原因となって，その結果，左辺の加速度 a が生じることを示している．単に両辺の値が等しいとだけ主張しているのではない．

　これに比して，**数学は時間の存在しない世界を描いて**いる．これを反映して，論理における「ならば」も，原因から結果へと結ぶ「矢印」ではないのである．このことより，現実的な，特に時間の流れを伴う主張を，単に「ならば」で結ぶと異様な結論が導かれることになる．

十分条件・必要条件

　ところで，対象読者や扱う話題の難易に因らず，大半の数学書において，**十分条件・必要条件**という日常語とも専門語とも初見では区別が付かない言葉と，その定義らしきものが含意に伴って紹介されている．定番の表現は

> 「仮定 $\Longrightarrow$ 結論」が成り立つ時，
> 「仮定」は「結論」であるための〜

であるが，この表現は初学者に対して適切なものだろうか．後でも触れるが，「十分」「必要」「条件」など，なまじ「言葉の響きに馴染みがある」のも困りものである．

　それにしても前件と後件に関する扱いが違いすぎる．さらに「真である」も略されている．バランスの悪さ，暗黙の前提，語句に対する折衷的（せっちゅう）な対応が目立つ．これでは初学者が困惑するのも無理からぬことである．「理解」することを諦め，提供される様々な暗記法に活路を見出している人も多いようである．混乱の元凶は，扱う数学的な内容ではなく，この「妙にくだけた表現」にある．少しずつ解（ほぐ）して，その本質的意味を探っていこう．

1　先ず「成り立つ」とは，含意により合成された複合命題が「真である」という宣言である．次に「であるため」という表現であるが，本来これは「である」で区切りを入れるべきものではないか．さらに，「真である」を略さず

> 「仮定が真である」ことは，
> 「結論が真である」ための〜

とすれば，全体の意味が見え，前件と後件の表現上のバランスも取れる．この段階で「日本語として熟れている必要はない」，それはまた別の話である．もし略すなら，「真である」だけではなく，「であるため」なども丸ごと略して

> 仮定は，結論の〜

とした方が明確ではないか．冒頭の表現では，「結論」の
みに対して「であるため」が附随しているので，全体のバ
ランスが崩れ，意味が取り難いのである．

　ここで，含意の真理値表を再び用いよう．今回は，四種
類の出力に対して，番号を振っておいた．

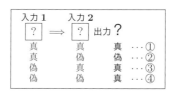

全体が真である場合を調べたいので，直ちに ② の可能性
は消える．また，考察したいのは，「真である命題と，も
う一つの命題との関係」であり，両方が偽である ④ の場
合には積極的な主張が出来ないので，これも除く．従って

$$\boxed{?} \Longrightarrow \boxed{?} \text{ は 真}$$

真　　　　　真　　　　　…①
偽　　　　　真　　　　　…③

が問題となる．そこで再び「〜であることは〜であるため
の」という表現に戻れば，この主張は以下の図式：

$$\boxed{真} \Longrightarrow \boxed{?} \text{ は 真}$$

において，「結論の真・偽が定まる理由」を問うていること
が分かる．その答は明らかに ① の場合，それ以外に無い．

　仮定が真であること，唯それだけで結論が「自動的に」
「選択の余地なく」「直ちに」真になる——もし偽になれば，
全体は偽 (除外した ② の場合) になる．即ち，仮定が真で
あることが，結論を真とする「十分な理由」になっている

わけである．よって，これを「仮定 (真) は，結論 (真) の十分条件である」と表現することにする．

同じ前提の下で，「結論」を考察の軸に据えた：

> 「仮定 ⟹ 結論」が成り立つ時，
> 「結論」は「仮定」であるための～

についても，同様に考えられる．これは以下の図式：

$$\boxed{?} \Longrightarrow \boxed{真} \quad \text{は 真}$$

に対して，結論が真であることが「**仮定の真・偽に如何に関わるか**」という問題である．ところが，この場合は前例と異なり，唯一つに決まらない．①, ③ が共に該当する．仮定は真でも偽でも，上記関係は成立するわけである．

しかし，結論が偽の場合，仮定は真に成り得ない．これは，先に排除した ② の場合であり，全体が偽になってしまう．仮定が真である可能性を残すには「先ず」「少なくとも」「最低限」，結論が真である「必要」がある．よって，これを「**結論 (真) は，仮定 (真) の必要条件である**」と表す．

2 ここまで見てきたように，「広く流布されている表現」には，初学者が混乱するに「十分」な理由があり，何らかの解決策が「必要」である．ここでは簡潔であり，バランスにも優れた以下の表現を採る．

仮定 ⟹ 結論 が真の時，
$$\begin{cases} \text{仮定 (真) は，結論 (真) の「十分条件」である．} \\ \text{結論 (真) は，仮定 (真) の「必要条件」である．} \end{cases}$$

ここで, 含意も仮定も結論も全て「命題」であるから,「諒解事項」によって, 括弧付き注釈 (真) を省くことも出来る.

　一般に, 数学の表記に対しては, 何が省略されているか, 何が書かれていないかを意識することが重要である. 一部が省略された主張を, それと知らずに記憶に留めても, その後の理解を阻害する原因になるだけである.

　以上,「十分」と「必要」の意味を考察しながら, それに伴う表記上の問題点をも議論した. しかし, 表現にはまだ改善の余地がある. 次なる問題は「仮定・結論」と「〜条件」の距離である. 日本語の場合には, その構造上「一文としての表現」に拘れば, どうしても両者の間に距離が生じる. 一方, 英語の語順では

Antecedent is a sufficient condition for Consequent,
Consequent is a necessary condition for Antecedent

となり, 両者は隣接している. こうした「距離の問題」が, 内容の理解に対して想像以上の妨げになっている.

　そこで, この点も考慮した以下の表現を提案する.

　仮定 (真) は十分条件 [それだけで結論 (真) を保証] である,
　結論 (真) は必要条件 [これにより仮定 (真) が可能] である

勿論, 内容を理解した上でのことなら, 定番の表現でも構わない. しかし,「伝統的・慣習的な表現」に対して,「何らかの疑問を感じる意識」だけは持ち続けたいものである.

3　さて, 含意において, 要素命題の順を交換したものを作り, 元の含意と同時成立する場合, 即ち「且つ」で結ん

だ場合を求める．前件と後件を「前・後」と略して

前	後	前 ⇒ 後	後 ⇒ 前	(前 ⇒ 後) ∧ (後 ⇒ 前)
真	真	真	真	真
真	偽	偽	真	偽
偽	真	真	偽	偽
偽	偽	真	真	真

となる．この表より明らかに，前件と後件の真偽が「真・真 (一行目)」，あるいは「偽・偽 (四行目)」という形で一致している場合のみ，結果が真になっている．即ち，この場合「前件と後件は同値」である．そこで，この論理式を

$$前件 \iff 後件$$

と略記し，以後この記号により**同値**を表す．これは，記号の由来に配慮して**必要十分条件**とも呼ばれている．

注意

「必要十分条件を求めよ」とすべき問を，単に「条件を求めよ」と略されていることがある．これまた文脈依存の面倒な話であるが，実例は枚挙に暇が無い．数学はクイズではないので，こうした点に敏感な人を増やすよりも，誤解が出ない設問をした上で相手の能力を測る工夫をすべきだと思うが，大勢はそうではないようである．

　二命題が同値であることを示す式は，代数における恒等式が値に因らず成り立ったように，どのような真理値の組合せに対しても成り立つ．よって，これを**恒真式**と呼ぶ．代数における公式が恒等式の体裁を取ることに対応して，論理における重要な関係式は恒真式の形で表される．

第7章　　　　　　　　論理と集合

記号の更新とその応用

　論理の計算において，主要部を成すのは論理和と論理積であり，それらを表す「∨」と「∧」が紙面上の主役を務めている．「対」となる概念には，相互の関係を強調する意味から，それを表す記号も互いに似たものを用いる．名称に関しても同様であり，字数も揃っている方が望ましい．

　しかしながら，両者は似過ぎている．そこに不等号が加わると，同じ形を持ち，方向だけが異なる四つの記号が混在することになる．集合論における記号：∪,∩,⊃,⊂ も同様であり，まるで視力検査のようになる．

　意味上の区切りを意識して括弧を多用すれば，ゲシュタルト崩壊が起こり，唯の文様にしか見えなくなる．括弧を略して簡素化を図れば，難渋な表記に逆戻りする．扱うべき概念を「体現する」ことが記号の本旨である．その上で，

現状の多数派に対して，「可読性において優る」という積極的な理由を掲げて，体系を更新することが望まれる．

　伝統や慣習を尊重することと，それを改善することは何ら矛盾しない．既存のルールを守るだけではなく，作る側にもなる．これは，数学のプロもアマも，一体となって取り組むべき課題である．実際，計算機言語の世界では，僅かな記法の変更が実務上の大きな効果を生んでいる．

　ここで言う効果とは，誰でも，どんな状況でも，間違いなく読めて修正も容易な「検算 (メンテナンス)」を含めた話である．従って，提唱する一連の記号は「如何なる状況においても混乱しない人」には無価値であろう．

　しかし，問題は全てを忘れた後である．事の詳細を全て忘れた後にも「なお残る何か」，それこそが教育の成果である．解法研究の百分の一でよい，書法の改善を意識する，唯それだけで「難問も解決出来るようになる」ものである．

　こうした考え方が，学問に対する姿勢を「過去の結果を学ぶ」という受動的なものから，「自らの手で新しく作る」という能動的なものへと変える．学習から研究へと進む最初の一歩は，案外こんなところに潜んでいるのである．

新記号の定義と表記の規則

　そこで，以下の記号を新しく提案する．紙面は「二次元の平面」である．従って，記号ももっと拡がりを持ったものであってよい．電気回路における並列 (横) と直列 (縦) の概念に想を得て，論理和を横に，論理積を縦に並べる．

1 二つの命題に対して，それは

と表される．要素の交換に対して不変な一組の概念を**双対**であるといい，その性質を「双対性」という．これは数学，物理学における諸概念において非常に多く見られる性質であり，例えば電気回路では「並列・直列」，「電圧・電流」などが代表的な例として知られている．

　論理ではこの「論理和・論理積」が双対の代表格である．そこで，この特性を $\vee$, $\wedge$ といった記号の形状に頼るのではなく，横・縦という「より強く双対性を暗示させる枠組」を採用することで，印象的に表記しようと考えた．

　ここで，論理和における「壁 (縦棒)」は二つの命題を明確に区分するための「セパレータ」の意味を持つ．論理積においては「改行」そのものが，その用を成すのでセパレータは用いない．なお他の論理結合子：「否定」「含意」「同値」は従来のものを流用する．しかし，全ての計算は「論理和・論理積・否定」の三要素で書けるので，これらを表す記号もまた略記であり，以下のように定義出来る．

$$\left[命題_1 \Longrightarrow 命題_2\right] := \left[\,\overline{命題_1}\,\middle|\,命題_2\,\right],$$

$$命題_1 \Longleftrightarrow 命題_2 := \begin{bmatrix} \left[\,\overline{命題_1}\,\middle|\,命題_2\,\right] \\ \left[\,\overline{命題_2}\,\middle|\,命題_1\,\right] \end{bmatrix} = \begin{bmatrix} \overline{命題_1} & 命題_2 \\ \overline{命題_2} & 命題_1 \end{bmatrix}.$$

下段の等号以下が代表的な略記の手法である．以後，論理式に関連した等号は，単なる記号の書換えを意味する．

論理和，論理積，含意の何れも，角括弧の中に二つの要素命題を含み，それらが合成されて一つの複合命題になっている．即ち，角括弧の外に立つ者には内部の構造は見えず，「一つの複合命題がある」だけである．

　省略の要点は，今述べたように，最も外側の角括弧は複合命題として扱うべき範囲を限定し，思考の単位を明確にすることに貢献するので，原則としてこれを略さないことである．ただし，横棒そのものが範囲を限定している「否定」と，他と紛れる心配がない「同値」に関しては

$$\overline{命題}, \quad 命題_1 \Longleftrightarrow 命題_2 \Longleftrightarrow 命題_3$$

と外側に角括弧を設けない．これにより，右式のように連続的に同値変形を連ねていく際に，表記が簡潔になる．

2　これらは単純な記号の書換えであるが，それに留まらない利便性を持っている．ただし，使用に際しては**説明が必須**である．最も簡素な説明は，「∨, ∧ の代わりに，以下の関係 (枠内) を充たす記号を用いる」とするものである．下段は記憶用である．「××は×，他は○」「○○は○，他は×」と調子良く読めば，強く記憶に残るだろう．

$$\boxed{[偽|偽] \Longleftrightarrow 偽 (他は真), \quad \begin{bmatrix}真\\真\end{bmatrix} \Longleftrightarrow 真 (他は偽)}$$

$$[× | ×] \Longleftrightarrow × (他は○), \quad \begin{bmatrix}○\\○\end{bmatrix} \Longleftrightarrow ○ (他は×).$$

　次に，論理和の定義式から，その真偽を逆向きに辿ると

$$偽 \Longleftrightarrow [偽|偽] \Longleftrightarrow [真|偽].$$

これを含意の定義式と見比べることで，容易に

$$\boxed{[\text{真} \Longrightarrow \text{偽}] \Longleftrightarrow \text{偽} \quad (\text{他は真})}$$

$$[\bigcirc \Longrightarrow \times] \Longleftrightarrow \times \quad (\text{他は}\bigcirc)$$

を見出す．この場合は「○×は×，他は○」と読める．

3 ここでは，簡単な応用例について触れておこう．

既に，二次方程式の根の表記に対して論理和を，連立方程式の立式に対して論理積を，この記法を用いて示している．これらの例のように，新記号は様々な場面で遭遇する「横並びの or」，「縦並びの and」という「暗黙の諒解」を明示的にしたものであり，決して奇を衒うものではない．

次なる例として，「等号付き不等号」を採り上げよう．それが論理和による定義であることを知れば，例えば

$$1 \leqq 2 \text{ とは } [1 < 2 \,|\, 1 = 2]. \text{ よって } [\text{真} \,|\, \text{偽}] \Longleftrightarrow \text{真}$$

より，$1 \leqq 2$ が示す内容が分かる．同様に，$1 \leqq 1$ も

$$1 \leqq 1 \text{ とは } [1 < 1 \,|\, 1 = 1]. \text{ よって } [\text{偽} \,|\, \text{真}] \Longleftrightarrow \text{真}$$

より，正しい主張であることが分かるだろう．

さて，論理和と論理積は，否定を通して互いに繋がっている．結論から書けば，以下の重要な関係が成り立つ．

$$\overline{[\text{命題}_1 \,|\, \text{命題}_2]} \Longleftrightarrow \left[\begin{array}{c}\overline{\text{命題}_1} \\ \overline{\text{命題}_2}\end{array}\right] \quad \begin{array}{l}:\text{論理和の否定は}\\ \textbf{否定の論理積}\end{array}$$

$$\overline{\left[\begin{array}{c}\text{命題}_1 \\ \text{命題}_2\end{array}\right]} \Longleftrightarrow \left[\overline{\text{命題}_1} \,|\, \overline{\text{命題}_2}\right] \quad \begin{array}{l}:\text{論理積の否定は}\\ \textbf{否定の論理和}\end{array}$$

ド・モルガン律と呼ばれるこの関係は，それぞれの定義に戻れば，容易に確かめることが出来る．形式的には，「全体の否定は，各要素の否定を取り，その縦横を転置したもの」である．この関係は後の集合においても登場する．

　既述のように，論理和は日常語の語感とは異なり，二要素の同時成立も認めている．そこで，日常語の「または」に沿った，「一方のみが真の時のみ真」となる論理和を，既存の論理結合子の合成として定義した．これを**排他的論理和**と呼んだ．幾つかの異なる定義があるが，記憶に残りやすいのは，論理和から同時成立の部分を取り除く手法を，そのまま論理式として表現した以下のものである——新記法では，論理和の縦棒の下にバーを付けて表す．

$$\left[命題_1 \underline{|} 命題_2\right] := \left[\begin{array}{c} \left[命題_1 | 命題_2\right] \\ \hline \left[\overline{命題_1} | \overline{命題_2}\right] \end{array}\right] = \left[\begin{array}{c|c} 命題_1 & 命題_2 \\ \hline \overline{命題_1} & \overline{命題_2} \end{array}\right].$$

命題から述語へ

1　ここでは，多くの要素命題を持つ場合の論理和・論理積について考える．表記に関しては，より印象を強めるために「真・偽」の代わりに「○・×」を用いる．

$$\left[○ | × | \cdots | ×\right] \iff ○, \quad \left[\begin{array}{c} × \\ ○ \\ \vdots \\ ○ \end{array}\right] \iff ×$$

論理和は，要素に「一つでも○があれば」○であり，論理積は「一つでも×があれば」×である．逆に，ここから論

理和内の○の個数も，論理積内の×の個数も知り得ないことが分かる．両者とも，結果が「○」の場合を考えれば

論理和	「少なくとも一つ○」がある時，○
論理積	「全ての要素が○」である時，○

という表現が自然に生まれてくる．

さらに，「少なくとも一つ」は，単に「在る」とも言い換えられる．「全ての」は，「どれを取っても」という意味であるから，「任意の」とも言い換えられる．よって

論理和	○が**存在**する
論理積	**任意**の要素が○である

と短く，本質のみを切り出した表現が出来る．

ここから，存在と任意を暗示する特異な記号：∃, ∀ が捻り出された．前者は **E**xists(存在) の，後者は **A**ny(任意)，あるいは **A**ll(全て) の頭文字を半回転させたものである．

日本語の感覚では，「在る」と「任意」が一つの対を成すことは見抜き難いが，英語の場合には，some と any という誰もが知る対の言葉になる．そこで，記号の元々の意味に戻って，否定との関係を考える．先ず，任意の否定は

「どれでも」ではない ⌒「全部」ではない ⌒ 一部

となるので，「∀ の否定は ∃」となる．同様に

「特定の」ではない ⌒「一部」ではない ⌒ 全部

となるので，「∃ の否定は ∀」となる．ここで，記号：⌒ は，「転じて～」の意味を込めた，この場限りの記号である．

2 その出自から，∃ が並列，∀ が直列と強く結び付いていることが分かる．そこで，両文字の縦横比を「それらしく」変え，論理和，論理積に添えると，例えば

$$[1 < 1 \,|\, 1 < 2 \,|\, \cdots \,|\, 1 < 9] \underline{\underline{}} \quad\Bigg|\quad \bigvee \begin{bmatrix} 0 < 1 \\ 0 < 2 \\ \vdots \\ 0 < 9 \end{bmatrix}$$

となる．こうした表現を一度でも目にすれば，両者の対応関係が強く長く記憶されるだろう．∀ を**全称量化子**，∃ を**存在量化子**，両者をまとめて量化子という．

さて，既に前章において命題論理と述語論理については，その概略を紹介している．ここでは，具体例によって両者の関係を吟味する．例えば，一連の主張：

3 は素数である……真
4 は素数である……偽
5 は素数である……真

は，確かに真・偽が一意に定まる．これらの命題を「文」と見做すと，さらに「主役」たる数値と，その性質を「述べた部分」，即ち主語と述語に分割することが出来て

$\underbrace{\text{ある数}}_{\text{主語}}$ は $\underbrace{\text{素数である}}_{\text{述語}}$

となる．このように二分割することで，全体を真とする「ある数の特徴は何か」「任意の数値ではどうなるか」という形で，量化子が自然に導入される．この手法により，数により特徴付けられた命題を一挙に扱うことが可能となった．この場合であれば，「ある数」を動かすことで，各命題の真偽が確定する．以上が述語と命題の関係である．

集合の定義

　日常的には，「集まり」や「グループ」といった言葉により，対象の分類を行っている．それに対して，論理的に**他と明確に区別出来る集団**に名前を付けて，精密な扱いを可能にしたものが集合である．**集合とは論理の幾何学化である**．集合は，形の無い論理に，幾何的なイメージを添える．両者は表裏一体の基礎概念として数学を支えている．

　有限個のものを扱うだけであれば，さして苦労は無い．数学が扱う対象は無限である．無限を扱うためには，しっかりと定義された言葉と考え方が必要になってくる．そのための道具が集合には揃っている．また逆に，無限を思考の対象としない限り，集合を用いる意味は半減する．

　ただし，その豊かな香りは「有限の小さな数学」であっても充分に楽しめる．無限の似姿がそこにある．

1　最初の例は，自然数である．波括弧：{ } の内側に

$$\{1, 2, 3, 4, 5, 6, 7, 8, 9, \ldots\}$$

と考察すべき対象を**具体的に列挙する**ことで，集合は定義される．これを**外延的記法**という．波括弧の役割を印象的に言えば，「対象を格納する容器の図案化」である．しかし，無限が相手では列挙しきれない．何らかの便法が必要になる．そこで，御馴染みの「テンテンテン」を用いる．

　列挙された各々を「集合の**元**」，あるいは「要素」と呼ぶ．今の場合ならば，自然数の一つひとつが集合の元であり，逆にこの集合は「自然数の全体」を表すことになる．

議論が容易な有限個の元を持つ集合を，外延的記法により定義して，具体的に集合を扱おう．例えば

$$数_9 := \{1, 2, 3, 4, 5, 6, 7, 8, 9\}$$

である．以降，数の集合の名称として「太字の**数**」を用い，その特徴を添字に託す．そして，これを考察する対象の最大の枠組を表す集合 (**全体集合**という) とする．

参考

　　　　一方，この集合は「一桁の自然数の全体」としても一意に定まる．このように，「何々の性質を持った全体」といった独特の言い回しを用いて，「対象が持つ共通の性質を記述する」ことにより集合を定義する手法を**内包的記法**という．この記法は，対象の性質を如何に抽出するかが鍵であり，そこに一工夫を要するが，外延的記法に比して無限の扱いに優れている．具象と抽象に対応する外延と内包は対義語であり，従って同時に学ぶべきである．

　では，**数**$_9$ を全体集合とする "小さな数学" により，集合の特徴を調べる．例えば，7 がこの集合の元であることを

$$7 \in 数_9, \quad -7 \notin 数_9$$

と書き，7 はこの集合に「**属する**」という．また，元でない場合を「**属さない**」といい，$\notin$ を用いて表す．

　この独特の記号は，逆向きの表記も，さらに上下の向きにも使えるので，上下左右に繋ぐ右の文様風の拡がりを持った表記も可能である．ここで，集合「天」は {東, 西, 南, 北} である．

公の場で使うことはないが，次も外延的記法の変形として全体の構成がよく見え，図案としても面白いだろう．

$$\overbrace{\underset{1\ \ 2\ \ 3\ \ 4\ \ 5\ \ 6\ \ 7\ \ 8\ \ 9}{\cup\ \cup\ \cup\ \cup\ \cup\ \cup\ \cup\ \cup\ \cup}}^{\text{数}_9}$$

この $\in$ の起源であるが，英語の「Element(要素)」，あるいは独語の「Enthalten(含む)」ではないかとされている．何れにしても，字形としては「E」の変形なのだろう．

2 この段階で，議論は既に大きな山を越えた．集合における最重要概念が，この「属する」だからである．関連する諸概念は，それが「ある集団に属するか否か」という命題として定義される．他の属性，個数，記述の順序，重複などは考慮されない．僅か一つの可憐な記号：$\in$ に込められた「この確たる主張」を強く意識しておきたい．即ち

$$\{1,2,3,4,5\}, \quad \{5,4,2,3,1\}, \quad \{1,2,3,4,5,5,4,2,3,1\}$$

などは全く同じ集合を表しているわけである．

数列にも，同じ記号 { } を用いることがあるが，数列は集合よりも情報量が多い．例えば，1 が連続して続く数列：$\{1,1,1,1,1,1\}$ も集合としてみれば，単に $\{1\}$ となる．

このように，一つの元しか含まない集合を**単元集合**と呼ぶ．ここで，1 と $\{1\}$ の違いに注意する．前者は集合の元であり，後者は集合である．さらに，集合の集合も集合になる．例えば，$\{\{1,2\}\}$ は，元：$1,2$ を持つ集合：$\{1,2\}$ を，唯一の元として持つ単元集合ということになる．

3　元と集合の関係が
「属する」であるのに対
して，集合と集合の関係
は含むである．この言葉
には幾何的な響きがあ
る．箱の中に箱が入って
いるイメージである．確

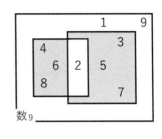

かに，「中の箱」は「外の箱」の内側に「含まれて」いる．

　箱の形や大きさは意味を持たない．上図が示すものは
「包含関係」唯一つである．記されているのは，**数**$_9$ という
箱の内部にある「偶数箱」と「素数箱」の関係である．そ
の実体は，以下で定義された集合：

$$\mathbf{数}_偶 := \{2, 4, 6, 8\}, \qquad \mathbf{数}_素 := \{2, 3, 5, 7\}$$

である．図の関係を記号 $\subset$ により，以下のように表す．

$$\underbrace{\{2, 3, 5, 7\}}_{\mathbf{数}_素} \subset \underbrace{\{1, 2, 3, 4, 5, 6, 7, 8, 9\}}_{\mathbf{数}_9}$$

これを「**数**$_素$ は **数**$_9$ に含まれる」，あるいは「**数**$_素$ は **数**$_9$
の**部分集合である**」という —— **数**$_偶$ の場合も同様である．
下段の列挙によれば，その意味は一目瞭然である．

　即ち，$\subset$ の左に位置する集合の全ての元は，右に位置す
る集合の元でもある．これを「左の全ての元が，右の元で
もある**ならば**，左は右に含まれる」と言い換えると，論理
における含意との関係が見えてくる．これは，記号 $\subset$ に
よる「含む」という概念が，論理における記号 $\Longrightarrow$ によ
る「ならば」によって定義されることを示唆している．

4 部分集合の概念をより理解するには，**数**$_9$ の部分集合である **数**$_2$:= $\{1, 2\}$ を用いるとよい．結論から書けば，この部分集合は，さらに以下の四種の部分集合を含む．

$$
\begin{array}{c}
\varnothing \subset \supset \{1,2\} \\
\text{数}_2 \\
\{1\} \subset \supset \{2\}
\end{array}
$$

全体の関係が，少しでも記憶に残るように図案化した——誤解は無いと思うが，斜めの新記号があるわけではない．

上段の二種が重要である．全ての集合は，その部分集合として，中身の無い集合を含んでいる．これを**空集合**と呼び，記号 $\varnothing$，あるいは $\{\ \}$ で表す．これは数値の 0 に対応する．そして同時に，自分自身も部分集合として含む．

さらに極端な単元集合 **数**$_1$:= $\{1\}$ の場合：

$$
\varnothing \subset \text{数}_1 \supset \{1\}
$$

である．これらの図案が記憶にあれば，部分集合の個数問題で間違う可能性は減るだろう．含むか否かという二者択一から定まる部分集合の個数は，以上の結果から類推出来るように「2 の冪乗」となる．即ち，元一個の場合，$2^1 = 2$ 個であり，元二個の場合，$2^2 = 4$ 個となる．

和と積と補

既に述べたように，「集合は論理の幾何学化」である．本来，大きさも形もない論理に対して，集合は具体的な物との対応が考えられるので図解が可能になる．これには，ジョン・ベンにより広く知られるところとなった図解，所

謂ベン図が欠かせない．集合を単純な図形で表し，その相互関係を「図の交わり」として示す方法である．その例もまた既に示している．再掲しておこう．

同じ図が，最初は単純な面積の計算問題として，次に論理計算を行う際の区分として，そして今，集合における各種計算の拠り所として現れたわけである．

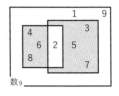
数9

1 ここでは従来の論理記号 ∧, ∨ を元に，集合の記号を定義すると共に各種計算の実際を紹介する──なお「角括弧を用いた新しい論理記号」に完全に対応した「山括弧を用いた集合の記法」も参考のために用意 (附録) した．

先ず，二つの「集合が等しい」とは，両者の全ての元が完全に一致し，「**互いに含み・含まれる**」関係として理解される．その定義は，論理における同値の手法を，集合に適用することで得られる．それは一般に以下の形式：

$$(\text{集合}_1 \subset \text{集合}_2) \wedge (\text{集合}_2 \subset \text{集合}_1) \iff \text{集合}_1 = \text{集合}_2$$

で表される．鍵は論理積である．この関係は二つの集合に対して対称なので，両者を入れ替えても同様に成り立つ．

次に，集合における和と積について考える．これもまた論理が裏で働く．即ち，「ある元がある集合に属するか，または別の集合に属する」時，これを論理記号「∨」を模した記号「∪」で表し，その結果を**和集合**という．例えば

$$\underbrace{\{2, 4, 6, 8\}}_{\text{数}_{偶}} \cup \underbrace{\{2, 3, 5, 7\}}_{\text{数}_{素}} = \{2, 3, 4, 5, 6, 7, 8\}$$

である．全く同様にして，論理積を元に**積集合**が定義される．ここでも記号 $\wedge$ を模した $\cap$ が使われる．

$$\underbrace{\{2,4,6,8\}}_{\text{数}_偶} \cap \underbrace{\{2,3,5,7\}}_{\text{数}_素} = \{2\}.$$

最後に，論理否定を元に，「～ではない集合」が定義される．これを**補集合**という．記号は論理における横棒をそのまま流用する．例えば，以下である．

$$\overline{\text{数}_偶} = \overline{\{2,4,6,8\}} = \{1,3,5,7,9\} = \text{数}_奇.$$

即ち，偶数を表す集合の補集合は奇数のそれとなる．また

$$\text{数}_偶 \cup \text{数}_奇 = \text{数}_9, \qquad \text{数}_偶 \cap \text{数}_奇 = \varnothing$$

となる．これは，自然数が偶数と奇数に二分出来ること，両者に共通する元が存在しないことを表している．

ベン図を見るだけで，多くのことが分かる．先ずは

$$\text{数}_偶 \cup \text{数}_素 = \text{数}_素 \cup \text{数}_偶,$$
$$\text{数}_偶 \cap \text{数}_素 = \text{数}_素 \cap \text{数}_偶$$

である．これは $\cup$, $\cap$ の計算は，その順序に因らないことを示している．集合においても，論理においても，「和」「積」といった名を名乗る対象が持つべき性質である．

また，以下の関係も容易に確かめられるだろう．

$$\text{数}_偶 \subset (\text{数}_偶 \cup \text{数}_素), \qquad (\text{数}_偶 \cap \text{数}_素) \subset \text{数}_偶,$$
$$\text{数}_素 \subset (\text{数}_偶 \cup \text{数}_素), \qquad (\text{数}_偶 \cap \text{数}_素) \subset \text{数}_素.$$

さらに，中央の交わりは，和集合の中に含まれるので

$$(\text{数}_偶 \cap \text{数}_素) \subset (\text{数}_偶 \cup \text{数}_素)$$

であることが分かる．続いて，全体集合と空集合を含む簡単な関係を示しておく．例えば，偶数の集合に対して

$$数_偶 \cup \varnothing = 数_偶, \quad 数_偶 \cup 数_9 = 数_9,$$
$$数_偶 \cap \varnothing = \varnothing, \quad 数_偶 \cap 数_9 = 数_偶$$

である．何れも極めて常識的な主張であり，外延的記法によって具体的に計算すれば確かめられる．

2 補集合は，全体集合が明確でなければ求められない．全体が決まっていてこその部分である．例えば

$$\underbrace{\overline{\{2,4,6,8\} \cup \{2,3,5,7\}}}_{数_偶 \cup 数_素} = \overline{\{2,3,4,5,6,7,8\}} = \{1,9\}$$

は，図から明らかである．大小の正方形が含まない数は，1 と 9 であることから，この結果は直ぐに分かる．一方

$$\underbrace{\overline{\{2,4,6,8\}}}_{数_偶} \cap \underbrace{\overline{\{2,3,5,7\}}}_{数_素} = \{1,3,5,7,9\} \cap \{1,4,6,8,9\} = \{1,9\}$$

となり，同じ結果となる．即ち，以下が成り立っている．

$$\overline{数_偶 \cup 数_素} = \overline{数_偶} \cap \overline{数_素}.$$

全く同様にして，次の関係が導かれる．

$$\overline{数_偶 \cap 数_素} = \overline{数_偶} \cup \overline{数_素}.$$

これらは一般の集合においても成り立ち，論理の場合と同様にド・モルガン律と呼ばれている．集合間の関係は全て，対応する論理計算を元に導くことが出来る．

第8章　　　　　　　　　　　　　丸い三角

　動画は静止画の集まりである．一秒当たり十枚程度の異なる静止画を映すと，それは動いて見える．逆に，動画から希望する場面を静止画として取り出すことも出来る．従って，静止画の質が，動画全体の質を決めることになる．

　一般に，精密な議論とは，様々に変化する多様な要素に対して，「注目している対象以外の全てを止めること」から始まる．これは「動画から一枚の静止画を取り出すこと」に譬えられよう．数学における証明も，その多くは「一枚の静止画」上において為され，それが他の全ての静止画に共通した性質であることを示すことによって完成する．

　動画は大枠を示し，変化の相を伝えることには適しているが，精密な議論には不向きである．これは今や主流となった映像講義の弱点をも示している．既に旧体制となった「紙の本」ではあるが，そこには「動かないが故の長所」が今なお眠っている．深い思考に至るには，「時よ止まれ」と宣する必要がある．「静と動」「深と浅」は互いに補い合うべきものであり，どちらか一方だけでは破綻する．「そして時は動き出す」，その瞬間に証明は終了している．

本章では，主に関数の性質，その一端をグラフによって示す．細部の議論ではなく全体の感得のために，異なる視点から捉えた様々な静止画を提案する．動画にすれば数秒で事足りる内容ではあるが，むしろその手軽さが足枷になっている．その弱点を補いつつ「紙の限界」に挑む．

影を慕いて

1 長さ 1 の棒が，一端を中心に回転する時，基準となる軸に生じるその影の長さに注目する．間の角を決めれば，影の長さも一意に決まる．即ち，これは一つの関数を定義している．これを **円関数** と呼ぼう．これらの事情は

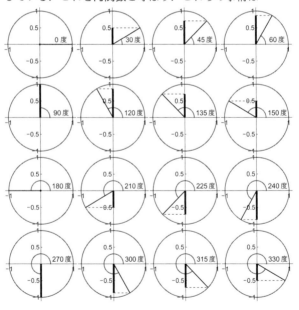

と図示される．ここでは横軸から角を測り，縦軸に映る影を太線で表した．「角が連続的に滑らかに変化する時，その影も同様に伸び縮みする」ことが容易に予想される．この滑らかな影の伸縮こそが，円関数の本質である．

2 この図には幾何学的な対称性が強く反映されており，同種の図形の繰り返しになっている．これらをまとめると，以下に示す三種の "蝶ネクタイ" として表せる．

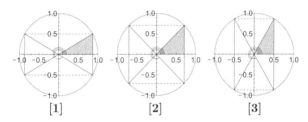

さらに，各々の図形は「塗りの三角形」の組合せであり，しかも，[1] と [3] の三角形は合同であるから，実質的には以下の二つの三角形を調べればよいことになる．

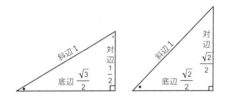

ここで，棒の長さ，即ち「斜辺の長さ」は 1 であるから，「●印の角：30°，45°」に対する底辺と対辺の長さを，それぞれ三平方の定理に従って求めることが出来る．左が正三

角形の半分，右が正方形の半分であることを思い出そう．

　今，欲しいのは垂直方向の影，即ち対辺の長さだけである．従って，[1]：1/2，[2]：$\sqrt{2}/2$，[3]：$\sqrt{3}/2$ のみが必要である——[3] は「×印の角：60°」に対する値であり，これは [1] の底辺と対辺の値を入れ替えたものである．そこで，角の大きさを横軸，対辺の長さを縦軸に取った次のグラフが描かれる．なお，縦横の比には特に意味は無い．

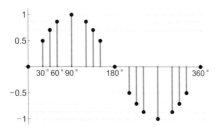

　僅か二つの三角形の辺の長さを元に，多くの値が求められた．このことから，この関数は**三角関数**とも呼ばれている．我が国ではこの名称で統一されているが，英語圏ではこれを円関数の名で呼ぶ場合も多い．以上の導出過程から明らかなように，どちらの名称にも理がある．しかし，その正体はあくまでも**単位円** (半径 1 の円) を基盤とした「影の長さを追ったもの」であることを記憶に留めたい．

　既にこの段階で，その「波形」が明らかになった．これはレシプロエンジンにおけるピストンとクランクの関係にも譬えられる．より身近な例としては，歩きながらヨーヨー遊びをした際に壁面に出来る影絵ともいえる．

この関数は直線的な往復運動，即ち「振動」に伴って現れる．振動を把握することは，全ての物理現象の核を掴むことである．森羅万象，およそ命のあるものには，必ず振動が内在している．従って，三角関数の重要性は幾ら強調してもしきれない．この不要を説く人は，胸に手を当てて心臓の鼓動を感じ，その波形に思いを致すべきであろう．

3 一周を 360 度とする**度数法**に，理論的な根拠は無い．約数の多い数を基準にすれば，割り切れる場合が多く実用的だという極めて人為的な理由である．

$$360\ \text{の約数} \begin{cases} 1, 2, 3, 4, 5, 6, 8, 9, 10, 12, 15, 18, 20, 24, \\ 30, 36, 40, 45, 60, 72, 90, 120, 180, 360. \end{cases}$$

明らかに二周目以降は一周目の繰り返しであるから，$390°$ と $30°$ は同じ位置関係を示す．また，$-30°$ は $330°$ と同じである．このように，負数の場合も含めて，「360 で割った余り」だけが絶対的な意味を持つことになる．

さて，話を少し戻して，三角形の「辺の長さの比」を考えよう．三辺の中から二辺を選び，分数の形を作ると

$$\boxed{\begin{array}{l} \text{三つの中から} \\ \text{二つを選ぶ:} \\ \dfrac{3!}{(3-2)!} = 3 \times 2 \\ \qquad\quad = 6\ \text{通り} \end{array}} \quad \begin{cases} \text{斜辺} \begin{cases} \text{底辺} \cdots \dfrac{\text{底辺}}{\text{斜辺}} : ① \\ \text{対辺} \cdots \dfrac{\text{対辺}}{\text{斜辺}} : ② \end{cases} \\ \text{底辺} \begin{cases} \text{対辺} \cdots \dfrac{\text{対辺}}{\text{底辺}} : ③ \\ \text{斜辺} \cdots \dfrac{\text{斜辺}}{\text{底辺}} : ①' \end{cases} \\ \text{対辺} \begin{cases} \text{斜辺} \cdots \dfrac{\text{斜辺}}{\text{対辺}} : ②' \\ \text{底辺} \cdots \dfrac{\text{底辺}}{\text{対辺}} : ③' \end{cases} \end{cases}$$

となる．このように，選択を漏れなく重複なく行うために，木を模して描いた図を**樹形図**といった．右端の分数表記において，太字の三種 (① 〜 ③) を以後の議論の中心に据える——「′」付きの三種は，それらの逆数になっている．

　三角関数とは，以上の六種の比を基礎として定義された関数の"総称"である．先に，縦軸の影を求めた場合は ② に相当する．これを**正弦関数**という．また，横軸に映る影を元にした関数 (上の ① に相当) を**余弦関数**と呼ぶ．

　議論の中心に単位円を据える理由は，斜辺の長さを 1 とすることで分母が消え，① は底辺の，② は対辺の長さそのものが，対応する関数の値になるからである．また，③ は両関数の比とも考えられる．これを**正接関数**という．ある角に対する三者の関係は，右図より明らかだろう．

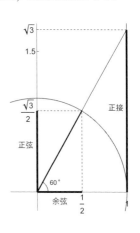

　既に見てきた通り，これらの関数は，直角三角形を基礎としている．三角形の内角の和は 180° であるが，直角三角形の場合，その中の一つの角が 90° に決まっているわけであるから，残りの二角の和もまた 90° になる．

　従って，直角以外のある角に注目した時，残りの角も同時に決まっている．これを対象の**余角**という．例えば，

$30°$ の余角は，$90 - 30$ より $60°$ である．前頁の図でも明らかなように，底辺と対辺を入れ替えれば，正弦が余弦に，余弦が正弦に変わる．これは注目する角を余角にしても同様である．即ち，$30°$ の正弦は，$60°$ の余弦である．正弦関数と余弦関数は，$90°$ のズレを伴って結び付いている．この特徴は，直ぐ後でグラフにより明らかになる．

最後に，直角三角形における**三平方の定理**より

$$\left(\frac{\text{対辺}}{\text{斜辺}}\right)^2 + \left(\frac{\text{底辺}}{\text{斜辺}}\right)^2 = \frac{\text{対辺}^2 + \text{底辺}^2}{\text{斜辺}^2} = 1$$

が成り立つことから，正弦関数と余弦関数のそれぞれの二乗和の合計は 1 になることが分かる．

4 三角形には「心」がある．それは，辺と角に対して等分した場合に生じる「複数の直線が一点で交わる点」のことである．中でも著名な五種を紹介し，三角形が持つ重要な幾何学的特徴の一部を示しておく．なお，基礎となる三角形には，一目で不等辺であると分かり，かつ内部に適当な広さを持つ，辺長が「5 対 7 対 8」であるものを用いた．

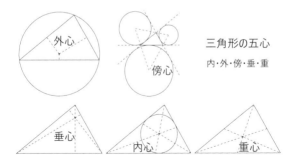

三角形の五心

内・外・傍・垂・重

先ずは，定義される円が，三角形の「内」にあるか，「外」にあるか，「傍ら」にあるかで区別される三種：内心・外心・傍心である．残る二種は，三角形自身が持つ特徴を定める垂心と重心である．他にも色々な組分けが出来る．

　外心と垂心は，共に辺に垂直な直線の交点として定義される．その結果，外心は「三頂点から等距離の点」を定め，垂心は「三角形の三種類の高さ」を示している．

　角の二等分線に由来する内心と傍心は，見方を変えれば同じものである．例えば，内接円 (内心の円) に接して底辺に平行な線を引けば，その上に相似な三角形が出来る．その三角形に注目すれば，内接円が傍接円に見えてくる．

　辺の中点を結ぶ重心だけが異質な命名である．点に大きさが無く，線に幅が無い数学において，「重力の中心」という物理的な用語は似合わない．定義に沿えば，これは等面積の位置を示す「図心」である——均質な質量分布，一様な重力場の元で重心に一致する．実際，図学や機械設計などでは，断面形状の議論に際してこの名が使われている．

　内心も外心も定義からではなく，それが持つべき性質，即ち，辺あるいは頂点と点との距離に注目して，先ずは適当な点を選び，それを繰り返し修正することで近似的に求めるという素朴な手法に戻ることも重要である．近似から真の解に至る方法がある時，それは単なる近似ではない．昨日の正解が今日は近似になる技術の世界において，近似の精神は何にも優る指導原理である．真理探求を旨とする数学においても，学習過程においては，この精神が役立つ．

これらの「点」は，力学的にも求められる．幾何学は実験科学なのである．輪ゴムと箸があれば誰でも作れる模型が，ゴムの張力によってその位置を自動的に指し示す．以下，著者考案のものを幾つか紹介しておく．

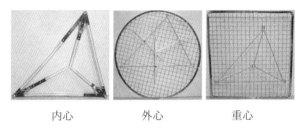

内心　　　　　　外心　　　　　　重心

また，三角形が何であるかを具体的に学ぶために，市販の伸縮する指示棒を組合せて「自在三角形」を作った．

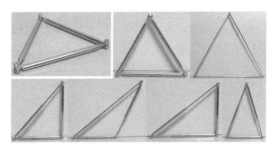

手慰みは「発明の祖母」である．具体的体験を経なければ失敗すら出来ない．「手」を使って学ぶことが重要である．

円周率と弧度法

三角関数は別名円関数とも呼ばれるのであった．ならば円についても少し調べておく必要があろう．

1 円周率とは，記号 π で表される無理数である．従って，その正確な値は具体的には示せない．例えば

$$\pi \approx 3.14159265358979323846264338328$$

は 30 桁での近似値である．しかし，実用面では 3.14 で充分な場合が多い．仮に円周率だけ高い精度を保っても，他の数値の精度が低ければ，高精度は誤差の中に埋もれてしまい，全く意味を成さないからである．

　無限の桁を要する無理数を，記号で表すことは一つの智恵である．しかし，時にこれが禍し，唯の数であることを忘れる．同じ記号化された表現であっても，例えば

$$\sqrt{6} \approx 2.44948974278317809819728407471$$

であれば，それが「右辺の略記である」ことは忘れない．π だとか，後で登場する e だとかになると，その出自まで学んでおかないと混乱が生じるのである．

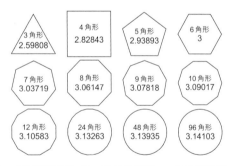

　また，円の周長は「2π 掛ける半径」，その面積は「π 掛ける半径の二乗」と呪文のように記憶しているだけでは使えない．それが如何にして求められるかが問題である．例

えば，中心から各頂点までの距離が 1 である**正多角形**を利用すれば，その周長から円周率の近似値が得られる (前頁図)．必要な近似の程度は，問題によって異なる．これらの何れの図形においても，拡大すればするだけ滑らかさは失われる．逆に，「正 48 角形」が円に見える精度であれば，円周率の値は 3.14 程度で充分だということになる．

2 先に，度数法には数学的な意味がないことを述べた．この問題を解決するのも π の仕事の一つである．円周の一部を**円弧**というが，この円弧の長さによって「周長 2π の単位円」の中心角を表すのである．これを**弧度法**という．

一周 360 度が 2π，約 6.28 という長さに対応するわけであるから，円弧上の長さ 1 に対する中心角は，約 57.3 度ということになる．これを **1 ラジアン**という．以上の設定を含めて，記憶に留めるべき「一枚」は以下の図である．

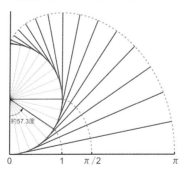

半円の上部から円弧を剥がすように拡げている——点線の曲線は**伸開線**と呼ばれている．180 度が「π ラジアン」，90 度が「π/2 ラジアン」であることがよく見えるだろう．

この時，図の縦横比は，人の事情で決めた度数法とは異なる数学的に重要な意味を持つことになる．

これを体感するには，実際に物差しを曲げてみればよい．そこで，半径 10cm の半円板に沿って，長さ 30cm の曲がる定規を付けた模型を作った．

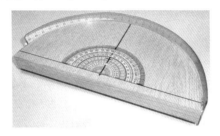

何かを「測る」という経験は，物事の理解に必須である．

さて，弧度法による縦横比によって三角関数を表すと

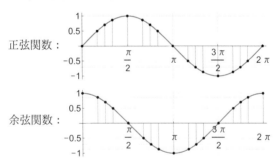

正弦関数：

余弦関数：

となる．余弦関数は横軸に映る影の長さを，正弦関数の場合と同様に測れば容易に求めることが出来る．上図では，離散的な値を曲線により滑らかに繋いでいる．

ここで一つ重要な問題を指摘しておく．多くの参考書や

問題集において，両関数は上にあるような正しい縦横比で
は描かれていない．大抵は横方向が圧縮されている．これ
ではラジアンを単位とすることの意味が見え難い．これら
のグラフは本来，縦に 2，横に約 6.28，縦横比「1 対 π」の
長方形の中に収められるべきものなのである．

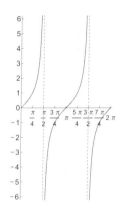

　正接関数は，前頁下のグ
ラフより，両関数の値を読
み取り，割り算を行うこと
でその関数値が求められ
る．その結果をまとめ，滑
らかに繋ぐと右のようなグ
ラフになる．なお，分母に
収まった余弦関数が 0 にな
る π/2, 3π/2 においては，
その値は定義されない．

　関数とは，数と数の対応関係であった．この場合，横軸
から縦軸への対応が関数，その逆が逆関数である．本書冒
頭で紹介した arctan は，この正接関数の逆関数を表した
プログラム言語における略記の一つである．

　なお，関数はその考察範囲を合わせて一つの組として定
義される——即ち，考察範囲が異なれば別の関数になる．
これは，グラフ上では「ある窓を定めてその中だけで議論
する」ということを意味する．これを覗き窓は "除き窓"
と記憶しておくとよい．窓の外側は考察から除くべき対象
であり，別世界である．従って，関数の最大値 (最小値) を
定める問題は，常にこの窓が "最終的な決定権" を持つ．

グラフは，関数における対応関係を充分に伝える．ただし，「絵にもかけない美しさ」という童謡『浦島太郎』の一節の通り，実際グラフに描けない関数も存在する．例えば，「有理数なら1，無理数なら0を取る関数」は，グラフとしては表しようがない．しかし，通常は関数の性質を知りたければ，グラフを丁寧に「読む」ことから始めるべきである．三角関数において記憶に留めるべき「一枚」は，単位円との関係から三関数の概略まで収めた以下である．

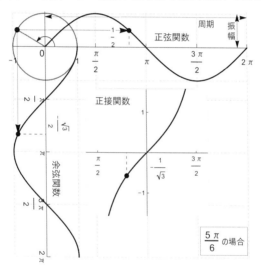

3　弧度法によってグラフを描くことは，単なる見た目の問題ではない．続いては，その真の理由を説明しよう．

　余弦関数は，正弦関数がズレたもの，正接関数は，これら二関数の割り算により定義されたものであるから，正弦関数の詳細を調べれば，他はこれより導き出すことが出来

る．また，その正弦関数自体も，「0 から $\pi/2$ までの区間」さえ分かれば，他はその転写として導ける．従って，この区間の詳細を知ることが何より大切なのである．

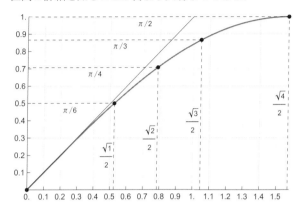

さらに，正弦関数は負側にも正側にも無限に拡がっている．そして，横軸の値を指定した時には，必ず一つの値が対応する．従って，正弦「関数」なのであるが，その逆は上手くいかない．縦軸の 0.5 という値を取るものは，無限に存在する．即ち，一般の範囲においては，逆関数は存在しない．そこで，上記の区間制限が活きてくるわけである．

上図には，縦横比が 1 になるように目盛が刻まれている．そして，三角形から求めた三つの値と両端の値が，滑らかな曲線で繋がれている．横からも縦からも，両者の対応を取れば，必ず一つの値が定まる．従って，**正弦関数は**この範囲において，逆関数を持っているわけである．

ここで，図の左 1/4 に注目すれば，それは「傾きが 1 の直線」に非常に似ていることが分かる．$\pi/6$ 辺りからズレ

が始まり，$\pi/4$では明確に異なる値を取っている．逆に，小さくなればなるほど直線との差は無くなり，0においては，両者の傾きは完全に一致する．即ち，正弦関数の0での傾きは1だということである．以上の重要な性質が，正しい縦横比を採用した結果，目に見える形で現れた．

これは正弦関数を「傾き1の直線で置き換える近似」が成立することを示している．例えば，正弦関数の0.3での値は約0.3, 0.2での値は0.2

	近似値	計算値
0.4	0.4	0.389418
0.3	0.3	0.295520
0.2	0.2	0.198669
0.1	0.1	0.099833

と近似することが出来る．実際に，この近似と計算機により求めた詳しい値を比較すれば，上表のようになる．確かに，値が小さくなるほど正しい値に近づいている．

この正弦関数の性質は，振子の等時性，即ち「振子の周期は，その振幅に因らず一定である」ことに関係している．ただし，等時性には**「振幅が小さい範囲において」**という制限が付いている．本来なら，比較対象が明示されていない「小さい」という言葉は無意味なのであるが，この場合の「小さい」とは，「正弦関数が傾き1の直線で近似出来る範囲において」という意味で使われているのである．

同様に，グラフの右端付近は縦軸の1を通る「傾き0の直線」で近似出来て，右表のようになる．これは余弦関数の0付近での近似値でもある．

	近似値	計算値
1.2	1	0.932039
1.3	1	0.963558
1.4	1	0.985450
1.5	1	0.997495

以上に，関数の対称性を加味すれば，正弦関数の π での傾きが -1，$3\pi/2$ での傾きが 0 であることも分かる．僅かにこれだけの情報からでも，関数の概形が掴める．曲線とその接線は，常に一つの組として考えるべきなのである．

正弦関数の応用

　正弦関数により表される波を**正弦波**という．ここでは，この波が表す物理的な現象について紹介する．

1　正弦波が具体的な空気の振動として現れる時，純音と呼ばれる．一秒間に一周期の運動がある場合，これを「振動数 1」，あるいは「1 ヘルツの振動」という．標準音叉の音「ラ」は「440 ヘルツの振動」である．また，音の大きさは振幅によって決まる．例えば以下である．

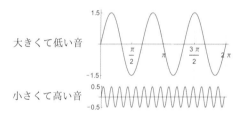

大きくて低い音

小さくて高い音

　山と谷が逆の関係にあるものを，**逆位相の波形**という．

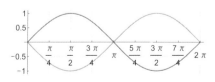

逆位相の二つの波がピタリと重なると，波は完全に消え

る．マイクで収録した環境音を逆位相にして，再出力すれば周囲の雑音が消える．これがヘッドフォンなどに応用されているノイズキャンセリングシステムの原理である．

　電力会社から一般家庭に送られている商用電源は，時刻と共に極性 (電気の正負) を変える「実効値 100 ボルトの交流」である．これも正弦波と考えてよい．東日本では 50 ヘルツ，西日本では 60 ヘルツの振動数を持っている．

　さて，この電源の特徴を示す量として，一周期での平均を考えたいのであるが，正弦波そのものは，その間に正と負を繰り返すので 0 になる．そこで，二乗して負の部分を消すと，下図に示すように，半分の周期を持った逆位相の余弦関数が，1 だけ底上げされて現れる——ここで，後の便宜のために基礎となる正弦波の振幅を $\sqrt{2}$ とした．

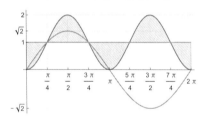

　水平線で上下に分割された塗りの部分は，互いに打ち消し合い，全体は 1 に均される．これは，振幅 $\sqrt{2}$ の交流の二乗の平均は，時刻に因らず 1 を取る「直流」と見做せることを示している．ここで，全体を 100 倍すると実際の値になる．即ち，家庭用電源は瞬間最高電圧 $100\sqrt{2}$，約 141 ボルトの交流であり，その二乗の平均である 100 ボルトを「実効値」と呼んで広く用いているわけである．

最後に正弦, 余弦の両関数の二乗の和として, 三平方の定理を見直しておこう. 具体的にグラフを描くと右のようになる. π/2 以降はこの繰り返しである.

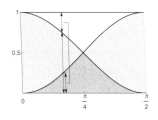

　図が示すように, この区間のどの点を取っても, 二つの曲線が示す値を足すと 1 になる. 一例として挙げた矢印が示す部分の和を考えれば, 容易に理解出来るだろう.

　音, 光, 電気・磁気, これらは全て振動現象である. そこには最も簡潔な場合として正弦波が現れる. その理解は, 自然界の理解へ繋がる最初の一歩である.

正弦波の合成と分解

1　三角関数の和は,「波」の和となる. 異なる振動数, 異なる振幅を持つ正弦波を加えることで, 様々な波形:

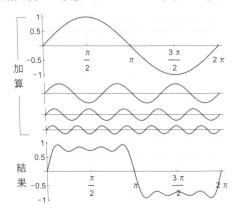

を作ることが出来る．基本となる振幅 1 の正弦波に，振動
数が 3 倍で振幅が 1/3 の正弦波を，さらに 5 倍で 1/5，7
倍で 1/7 の正弦波を加えると，最下段の波形になる．

　この過程は幾らでも続けていくことが出来て，例えば，
振動数 49 倍・振幅 1/49 倍のものまで加え続けると

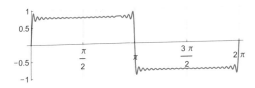

となる．これは周期 2π で，値 1 と −1 を繰り返す「矩形
波」を上手く近似している．実際，正弦関数と余弦関数を
組合せ，その振動数と振幅を調整することによって，如何
なる波形も近似出来ることが分かっている．これは**フーリ
エ級数**と呼ばれている．この理論を電気的に実現したもの
が，デジタル・シンセサイザーと呼ばれる楽器である．

2　さて，次の図にはそれぞれ 12 本の直線しか描かれて
いない．しかし，我々はそこに「円」の姿を見出す．

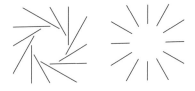

そこに「無い」のに，そこに「在る」．これは，「真理」と呼
ばれるものに似ている．それ自身では決して現れないが，

周辺がそれを暗示している．直接的ではなく，間接的に示される．ドーナツの穴という所以である．ある点で曲線に接している直線を**接線**，その点で接線に垂直な直線を**法線**という．即ち，前頁の**左図**は円の接線を，**右図**は法線の集まりを描いたものである．これにより「曲がった世界」の各点に，直交する二本の軸を設定することが出来る．

曲線の一部は直線であり，直線を集めれば曲線が作れる．如何に曲がりくねったものであっても，小さな範囲に限定すれば，それは直線と見做し得る．そして，無限に小さな範囲を仮想した時，それはその点の接線で置き換えられる．従って，複数の接線を描くことによって，それ自身を描かずに，対象を示すことが出来るようになる．

例えば，正弦関数の場合，$0, \pi/2, \pi, 3\pi/2, 2\pi$ での接線の傾きは既に調べた．そこで，これらの値を図に描けば

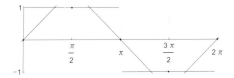

となる．この段階で明らかなことは，これら 5 本の接線と，その間の接線の傾きが 1 から -1 へと滑らかに減少し，-1 から 1 へと滑らかに増加していくことだけである．

3 そこで，傾きの詳細について調べたい．しかし，それには少々「手駒」が足りない．他にも簡単に三辺の比が求められる三角形は無いものか．その準備として，先ずは円と角の重要な関係について示しておく．

円弧の両端を，円周上の一点から見込む角を**円周角**といい，中心から見込む角を**中心角**という．この時，下の左の図が示すように，同じ弧に対する円周角は全て等しい．即ち「●の角」と「○の角」は同じ大きさである．

また，**中央の図**が示すように，中心角は円周角の二倍である．特に，半周に対しては，中心角は $180°$ であり，円周角はその半分の $90°$ となるので，直径と円周角から作られた点線で示した図形は，直角三角形になる．

円弧は円周上の二点により定まるが，それは円周を二分する．従って，本来であれば，どちらの弧を対象とするかを明示する必要がある．そこで，短い方の弧を「劣弧」，長い方の弧を「優弧」と呼ぶ．右の図は優弧に対しても，中心角と円周角の関係は変わらないことを示している．

割線と接線

以上の結果を用いて，次の図について考える．ここでは，直観を利かせるために，角を度数で表す．単位円を考えるのが定跡であるが，ここでは後の計算の便のために，半径 2 の円を採用する——最終的には，辺の比を考えるので，この「拡大」は結果には影響しない．そこには，底角

$30°$ と $45°$ の御馴染みの直角三角形が描かれている.

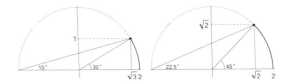

1 以下，主に左図に関して説明する．この底角を中心角と見れば，直径の反対側の点から同じ弧を見込む円周角は，半分の $15°$ となる．こうして，底辺の長さ $2+\sqrt{3}$，対辺 1 の新しい直角三角形が見出された．これより，直ちに底角 $15°$ に対する正接 $(=$対辺$/$底辺$)$ の値として

$$\frac{1}{2+\sqrt{3}} = \frac{2-\sqrt{3}}{(2+\sqrt{3})(2-\sqrt{3})} = 2-\sqrt{3}$$

が求められる．同様にして，右図より $22.5°$ の正接の値：

$$\frac{\sqrt{2}}{2+\sqrt{2}} = \sqrt{2}-1$$

を得る．こうして，極めて簡潔に新しい値が得られた．

左図に戻り，斜辺の二乗を求めると，以下のようになる．

$$(2+\sqrt{3})^2 + 1^2 = 2(4+2\sqrt{3}).$$

斜辺の長さは，この平方根の正の方であるが，それは根号の中にも根号を含む**二重根号**と呼ばれる形式になる．

この形式は，計算の見通しが悪いので出来る限り避けたい．そこで $\sqrt{3}$ に注目し，これを含む「二つの無理数の和」を形式的に作って，二乗し「加工」する．無理数の前の係

数が 2 であれば，後は足して有理数の項になり，掛けて無
理数の中身になる数の組を探す作業となる．例えば

$$\overrightarrow{\text{展開}}$$

$$\left(\sqrt{3}+\sqrt{5}\right)^2 = (3+5) + 2\sqrt{3\times5} = 8 + 2\sqrt{15}$$

$$\overleftarrow{\text{因数分解}}$$

を右から左へと逆に辿れば，その趣旨が理解出来るだろう．
即ち，根号を含む式の因数分解に相当するわけである．

そこで，$(\sqrt{1}+\sqrt{3})^2 = 4 + 2\sqrt{3}$ をヒントにして

$$\left[\sqrt{2}(1+\sqrt{3})\right]^2 = \left(\sqrt{6}+\sqrt{2}\right)^2 = 2(4 + 2\sqrt{3})$$

を得る．よって，$\sqrt{6}+\sqrt{2}$ が斜辺の長さとなる――残念な
がら，特殊な数の組合せ以外では，二重根号は外れない．

これより，15° に対する値として

$$\underset{\text{正弦}}{\frac{1}{\sqrt{6}+\sqrt{2}} = \frac{\sqrt{6}-\sqrt{2}}{4}} \quad \Bigg| \quad \underset{\text{余弦}}{\frac{2+\sqrt{3}}{\sqrt{6}+\sqrt{2}} = \frac{\sqrt{6}+\sqrt{2}}{4}}$$

を得る．これは同時に，余角 75° に対する余弦 (左) と正
弦 (右) を求めたことになる．これで，不揃いであった横軸
の刻みを，15° ($\pi/12$) 刻みの等間隔にすることが出来る．

ところで，$\sqrt{6} = \sqrt{2}\times\sqrt{3}$ であるから，上の値は

$$\frac{\sqrt{6}-\sqrt{2}}{4} = \frac{\sqrt{2}}{2}\left(\frac{\sqrt{3}-1}{2}\right) = \frac{\sqrt{2}}{2}\cdot\frac{\sqrt{3}}{2} - \frac{\sqrt{2}}{2}\cdot\frac{1}{2}$$

と書き直すことが出来るが，これは見慣れた 45° と 30° の
正弦と余弦の値から構成されている．この式変形は，単純

な角の差：$45° - 30° = 15°$ を，三角関数の値として読み替えるための計算規則の一例を示している．

2　正弦関数の接線の**傾き**を詳細に調べるために，考察する区間を「0 から $\pi/2$ まで」に限定する．先ずは，求めた値を記していく．なお，ここでは等間隔であることを強調するために，刻みの分母を 12 に揃えて約分をしなかった．

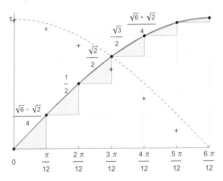

上図には，参考のために正弦関数 (実線) と，余弦関数 (点線) のグラフが既に描かれているが，問題はここまでに求めた七つの点 (両端を含む) である．これらは正確な値であるから，当然正弦関数のグラフ上に乗っている．グラフ上の二点を結ぶ線分を**割線**というが，この割線により，図中に六つの三角形が描かれている．それら三角形の斜辺の傾き，即ち正接 (＝対辺/底辺) が接線の傾きを近似する．

　その値を，グラフ上に「＋印」で示した．それらは，全て余弦関数に沿いながら，その下を通っている．その意味は，全ての点において，接線よりも割線の方が傾きが小さいということである．しかし，この差は，刻み幅を狭くす

ることにより，幾らでも小さくすることが出来る．従って，その極限において，正弦関数における各点の接線の傾きの値を並べると，それは余弦関数のグラフを成す．

次のグラフは，極限の計算を経て求められた正確な接線の傾きを短い線分で表して並べたものである．このレベルで既に滑らかな正弦関数の姿が垣間見える．

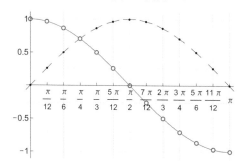

また，その値を示した白丸は，細線で示した余弦関数の上に完全に乗っている．これが両関数の本質的関係である．

以上の結果は，**正弦関数の微分**が「余弦関数になる」ことを示している．全く同様にして，**余弦関数の微分**が「負号の付いた正弦関数になる」ことも分かる．さらに，続けて微分をすると，四度の微分の後には元の正弦関数に戻ることになる．当然のことながら，この「四回で一巡する」という性質は，余弦関数も同様に持っている．

3 ここで，話題を一挙に変える．そして，全てが繋がる．
負数の平方根は，実数の範囲では定義されないが，記号：

$$i = \sqrt{-1}$$

を新しく導入することにより定義する．これは**虚数単位**と呼ばれる．即ち，$i^2 = -1$ である．先取りをすれば，実数と「虚数単位の実数倍」の単純な和，例えば $1 + 2i$ などを虚数という．また，実数と虚数をまとめた数の範囲は，**複素数**と呼ばれる．-1 も 0.5 も $\sqrt{2}i$ も全て複素数である．複素数は，学校数学における最も広い数の概念である．

関係：$i^2 = -1$ の両辺に，i を掛けると，$i^3 = -i$．さらに掛けると，$i^4 = -i^2 = 1$ となる．これは 1 に i を四回掛けると，元に戻ることを示している．ここに，三角関数の微分との類似を見る．そして，これは幾何的には，$0°$ から始まり，$90°, 180°, 270°$ を経て $360°$ まで戻る「回転」に対応する．以上から，三角関数と虚数，そして幾何学，回転という複数の内容が自然に合流する姿が見えてきた．

さて，$i^2 = -1$ の両辺を入れ替えて，$1 = -i^2$ とする．全く無意味にも思えるこの変形を，さらに

$$1 = -i \times i$$

と書き換えると景色が変わる．これは 1 が i と $-i$ の積に「因数分解」出来たことを意味する．このように，虚数単位の符号を変えたものを**共役複素数**，あるいは互いに複素共役であるという．従って，その積は実数になる．

このことより，例えば**三平方の定理**の複素数版表記：

$$(4 + 3i)(4 - 3i) = 4^2 - (3i)^2 = 4^2 + 3^2 = 5^2$$

を見出すことが出来る．この式は，一つの複素数：$4 + 3i$，あるいはその共役複素数が，内在的に実数 5 と関連付けら

れていることを意味している．この実数を，複素数の世界の長さと見做して「複素数の**絶対値**」と呼び，記号：

$$|4 + 3i| = 5$$

で表す——同様に，$|4 - 3i| = 5$ である．このように，複素数が長さ，あるいは距離と直接的に関係していることは，複素数が「幾何学的な表現」を持つことを示唆している．その舞台を**複素平面** (あるいはガウス平面) という．

参考

学校数学ではこれを「複素数平面」の名で統一したいようであるが，"Complex number Plane" なる用語は寡聞にして知らない．改称の意図も分からない．本書では従来通り "Complex Plane" の訳語を採用する．

無理数の評価

1 さて，章の締め括りに，次の問題を考えてみよう．

東京大学入試問題 2003 年・理科第六問
円周率が 3.05 より大きいことを証明せよ．

既に，本章冒頭で円周率の近似値として

$$正 12 角形の周長：\frac{\sqrt{6} - \sqrt{2}}{4} \times 24 = 6 \left(\sqrt{6} - \sqrt{2} \right)$$

を直径 2 で割った値：3.10583 を示している．実際の答案に期待されていることは，先に示した $15°$ に対する三角関数の値を求める過程と共に，この平方根を手計算で評価す

ることである．$\sqrt{2}$, $\sqrt{6}$ の四桁の近似値を既知とすれば

$$1.41 < \sqrt{2} < 1.42, \qquad 2.44 < \sqrt{6} < 2.45$$

が成り立つ．ここで，不等式が持つ基本的性質：両辺に「同じ数の加減乗除」が可能 (負数の乗除の場合には，不等号の向きが反転する) であること，さらに「二つの不等式の辺々を加えてもよい」ことを，上の二式に適用して

$$\left.\begin{array}{r} 2.44 < \quad\sqrt{6} < \quad 2.45 \\ -1.42 < -\sqrt{2} < -1.41 \quad (+ \\ \hline 1.02 < \sqrt{6} - \sqrt{2} < 1.04 \end{array}\right\} \text{三倍して } 3.06 < \pi$$

となる．差を負数との和に変換するのが要領である．

2 最後に，自然数の平方根の近似値を機械的に求める方法を紹介しよう．先ずは，9 の平方根を「求める」．答は 3 であるが，これを二つの分数に分割する．例えば

$$\sqrt{9} = 3 = \frac{5}{2} + \frac{1}{2}$$

とする．分割の方法は，二番目の分数が 1 よりも小さければ何でもよい——この分割には，1 より小さい数を分離するという意味しかない．上式の両辺を二乗すると

$$9 = \left(\frac{5}{2} + \frac{1}{2}\right)^2 = \left(\frac{5}{2}\right)^2 + 2 \times \frac{5}{2} \times \frac{1}{2} + \left(\frac{1}{2}\right)^2$$

となる——各数値は計算をせず，そのまま残す．

ここで，末尾の 1/2 の二乗は，1 よりも "充分小さい" として捨てる．その結果，9 に対する以下の近似式を得る．

$$9 \approx \left(\frac{5}{2}\right)^2 + 2 \times \frac{5}{2} \times \frac{1}{2}.$$

最初の二分割を，$1/2 = \sqrt{9} - 5/2$ と書き換え代入すると

$$9 \approx \left(\frac{5}{2}\right)^2 + 2 \times \frac{5}{2} \times \left(\sqrt{9} - \frac{5}{2}\right) = -\left(\frac{5}{2}\right)^2 + 2 \times \frac{5}{2} \times \sqrt{9}$$

となる．これを，末尾の $\sqrt{9}$ について解いて

$$\underline{\sqrt{9}} \approx \frac{\left(\frac{5}{2}\right)^2 + 9}{2 \times \frac{5}{2}} = \frac{1}{2}\underline{\left(\mathbf{\frac{5}{2}} + \mathbf{\frac{9}{\frac{5}{2}}}\right)}$$

を得る．この結果は，9 にも 5/2 にも因らない一般的なものである——数値の選択に特に意味は無かった．そこで

$$\boxed{\sqrt{数} \approx \frac{1}{2}\left(初期値 + \frac{数}{初期値}\right)}$$

と書くことにする．ここで初期値とは，冒頭で示したような，平方数との関係から推察されるおよその値を指す．

　例えば，$\sqrt{10}$ ならば，「数＝10」「初期値 ＝ 3」として

$$\sqrt{10} \approx \frac{1}{2}\left(3 + \frac{10}{3}\right) = \frac{19}{6} = 3.166\cdots$$

4 桁で検算を行えば $(3.166)^2 = 10.023556$ となり，充分近い値を得たことが分かる——仮に悪い初期値を選んでも，計算回数が増えるだけである．この方法の長所は，こうして得た値を再び初期値にすることで，より精度の高い値が求められることである．計算の基準になる平方数と，目標になる素数の平方根 (以下) は，その意味で記憶に値する．

$$\sqrt{2} \approx 1.414, \ \sqrt{3} \approx 1.732, \ \sqrt{5} \approx 2.236, \ \sqrt{7} \approx 2.646.$$

第9章　数の拡張

指数・対数と底

指数関数と対数関数に関しては，その概略を既に紹介しているが，ここでは底との関係について調べていく．

1 底 2 の場合から見ていく．横軸から縦軸へ，「2 を 1 乗したものが 2」「2 を 2 乗したものが 4」「2 を 3 乗したものが 8」という順で読む．これらの点を滑らかな曲線で繋いだものが，右の (底を 2 とする) 指数関数のグラフである．

この関係を，縦から横に辿って「逆」を得るが，これを「横から縦」の方針に従って描くと以下のグラフ：

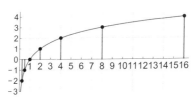

が得られる．これを (底を 2 とする) 対数関数という．

　ここで正弦関数における議論を思い出そう．鍵は「接線の傾き」にあり，その傾きを正しく表記するためにグラフの縦横比を 1 とした．上の二つのグラフは，共に縦横比が 1 になっており，具体的な値を読み出すには都合が好い．

　ところが，「底が 2 の場合」でさえ，横に 10 進むだけで，縦には $2^{10} = 1024$ まで上がらなければならないのだから，これでは到底紙面に収まらない．そこで通例，縦方向が圧縮される．しかし，これでは正しく傾きを表すことが出来ない．グラフの全体像を知りたいのか，細部の構造を知りたいのかで，選ぶべき縦横比は異なるわけである．ここでは，小さな値に対する理論的な問題に興味があるので，縦横比を 1 と定めたグラフを描くことにする．

2　興味の中心は，底を変えた時のグラフの変化である．如何なる底を選んでも，その 0 乗は 1 になるので，指数関数のグラフは座標 $(0,1)$ を通ることは間違いない．では，その地点での接線の傾きはどのようになっているだろうか．そこで傾き 1 の直線に対する比較を行った．

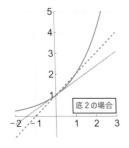 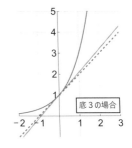

左は底が 2 の場合であり，座標 $(0, 1)$ での接線が実線で示されている．同様に，右は 3 の場合である．両者共に，「傾き 1 の直線」が点線で描き加えられている．一目瞭然の結果であるが，底 2 の場合，接線の傾きは 1 より小さく，底 3 の場合には 1 より大きくなっている．

　底の選択に縛りは無い．問題に応じて選べばよい．計算機の世界では 2 の冪が頻出するので，2 を底に選べば便利である．日常の生活では **10 進数** が主役であるから，底 10 が適当である．しかし，このような人の事情ではなく，純粋に理論的な見地からは，「$(0, 1)$ での接線の傾きを 1 にする底」に関心が湧く．底が 2 では 1 を下回り，3 では上回ったわけであるから，その数は 2 と 3 の間にある．

　そして，その答は**ネイピア数**と呼ばれる無理数：

$$\mathrm{e} \approx 2.718281828459045235360287471135$$

になる．通常，指数関数といえば，この e を底とするものを指す．対数関数の場合は，これを底にするものを自然対数，10 を底にするものを常用対数と呼び分けている．一般に，理論系では e を，実験系では 10 を選ぶ傾向がある．

　そこで，指数関数と自然対数を **X** 表記にすると次の図のようになる．両関数が互いに逆の関係にあることが，図中央の点線に対する曲線の対称性により示されている．また，両曲線がそれぞれ $(0, 1), (1, 0)$ で縦の実線に接していることから，そこでの傾きが共に 1 であることも分かる．

　円周率 π にもネイピア数 e にも，様々な定義の仕方があるが，ここでは「**微分**に直結した」接線の傾きから定める

方法を紹介した．ネイピア数は「自然対数の底」と呼称される場合が多いが，ここまでに見たように，初等的な導入としては「指数関数の底」として理解する方が自然である．

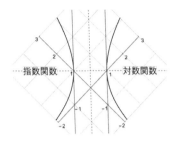

3 正弦関数は微分すると余弦関数に変わった．一方，底をeとする指数関数は，微分しても指数関数のままである．

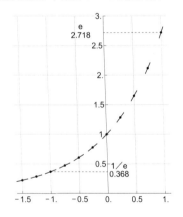

これは，ある点での接線の傾きが，その点での関数値に等しいことを意味している．上のグラフでは，各点での接線を短い線分で表し，それを並べた．

例えば，点：$(1, e)$ での接線の傾きが，縦の値そのものの e となっている．要するに，指数関数のある点での接線の傾きは，そこから水平に線を引き，縦軸と交わった所の値を読めばよいということである．また，グラフから -0.25 から $+0.25$ の間は，ほぼ直線と見做せることが分かる．従って，この区間での値を求めるのは，単に 1 に対して足し引きをするだけでよい．例えば

$$e^{0.25} \approx 1 + 0.25 = 1.25, \quad e^{-0.25} \approx 1 - 0.25 = 0.75$$

である．なお，計算機を用いて求めたこれらの詳しい値は，$1.28403, 0.778801$ である．無理数の小数乗という“得体の知れないもの”でも，こうして容易にその近似値を求められるようになった．理論的な背景を学ぶ前に，具体的な値を算出しておくことは極めて重要である．

座標の力

ここで改めて「平面上のグラフ」，その仕組について考えよう．最も根本的な表現を採れば，それは「ある規則に従って描かれた点の集まり」である．点が集まって線となり，線が集まって面となる．全ては点に始まり，点へと帰る．点は，数の対応関係を代弁する．以下，復習である．

1 点の位置を示すには，先ず枠組が必要である．平面において，その位置を一意に指定しようと思えば，必ず二つの要素が要る．線上であれば一つ，立体においては三つの要素が無ければ，「この一点」としては定まらない．この要素の数を**次元**と呼び，数の組のことを**座標**という．そし

て，その数が何を意味するのか，その測り方の基準を明確にする全体的な枠組のことを**座標系**という．

　一般に，最も広く使われているのは，下の左に示した互いに直交する二本の軸を持つ**二次元直交座標系**である．通常は，横と縦 (水平と垂直) に二軸を定め，順序対：(横の値, 縦の値) によって位置を指定する．全ての基準となる点：$(0,0)$ を座標原点といい，大文字の O を用いて略記する．この辺りまでは，既に紹介済みである．

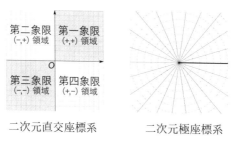

二次元直交座標系　　　　二次元極座標系

　左図に示すように，二数の正負により平面を第一から第四までの四つの領域に分ける．軸先端の鏃_{やじり}は，数の増加方向を示している．**右図**は，始線 (水平線) からの角と，中心からの距離によって点を指定する**二次元極座標系**である．

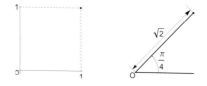

　両者は一つの点の異なる表現を与える．例えば，$(1,1)_直$ と $(\sqrt{2}, \pi/4)_極$ は同じ点を示している．ただし，極座標に

おける座標原点は「中心からの距離が 0」の点であり，角が一意に定まらないので特別の扱いが必要になる．

2 以降，議論を簡潔にするために，対象を直交座標系の第一象限に限定し，刻みは 0 と自然数で表された離散的なものとする．この時，表される点は格子上に制限される．

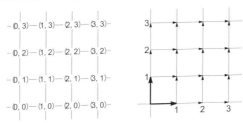

　格子上の点にその座標が配された**左図**を眺めていると，$(1,0)$ と $(0,1)$ が「数 1」の役割を担っていることに気が付く．これは「数の拡張」である．表記：(横,縦) における二要素は互いに独立である．そこで，異なる座標の和を，それぞれの要素同士の和を取るという形で定めよう．上下に並べて書くと，この算法の意味が強く記憶に残るだろう．

$$
\begin{array}{l}
(1,0) \\
(1,0) \ (+ \\
\hline
(2,0)=2\times(1,0)
\end{array}
\qquad
\begin{array}{l}
(0,1) \\
(0,1) \ (+ \\
\hline
(0,2)=2\times(0,1)
\end{array}
\qquad
\begin{array}{l}
(1,0) \\
(0,1) \ (+ \\
\hline
(1,1)
\end{array}
$$

この種の計算を繰り返すことで，全ての座標値が再現される．例えば，$(4,3)$ であれば，以下のようになる．

$$(4,3) = 4\times(1,0) + 3\times(0,1).$$

　従って，$(1,0)$, $(0,1)$ は独立した方向を持った二つの単位と考えられる．以上の議論は，**右図**の矢印による表現

によって明確になる．即ち，$(1,0)$ を長さ 1 の右向きの，$(0,1)$ を長さ 1 の上向きの矢印と見做すことで，矢印同士の加算が可能になる．この矢印を**矢線ベクトル**という．

　一方，座標：$(1,0)$ は**数ベクトル**と呼ばれる．数ベクトルは，「矢線ベクトルの成分」を表しているとも考えられる．実際には，ことさらに両者の区別をせず，共にベクトルの一つの表現として扱う方が便利なので，紛れが無い限り，単に**ベクトル**とのみ表記する．この時，通常の数を**スカラー**と呼ぶ．即ち，ベクトルの成分はスカラーである．

3 以上から，直角三角形の斜辺に関する議論も出来る．例えば，原点より右に 4，上に 3 という二段階を経ても，一気に斜め上に進んでも，同じ $(4,3)$ に到達する．即ち

である．これは御馴染みの「345 の三角形」である．この式は，下から上にベクトルの分解，逆向きにはベクトルの合成を表している．この場合，合成ベクトルは，与えられたベクトルを二辺とする長方形の対角線になる．そして，その長さは「三平方の定理」より 5 と定まる．

　ただし，二つのベクトルの表現には大きな違いもある．上の右図では，三本の矢の相対的な位置関係だけに意味があり，三角形の空間的な配置には無関係である．一方，左式では「座標系に依存した値」に絶対的な意味を持たせているので，空間的に固定されたものになり動かせない．

さて，ベクトルの減算については，数の計算における関係：$1 - 1 = 1 + (-1)$ を模倣して加算に変える．即ち

$$(1, 0) - (1, 0) = (1, 0) + (-1, 0) = (0, 0),$$
$$(0, 1) - (0, 1) = (0, 1) + (0, -1) = (0, 0)$$

である．数 0 の拡張である右辺を**ゼロ・ベクトル**という．

これを矢線ベクトルに対して読み替えると，減算とは「元のベクトルと同じ長さで反対を向いたベクトル」との加算だということになる．なお，矢線ベクトルの表記としては，代表する文字を太字にして表す手法を採る．例えば，ゼロ・ベクトルであれば $\mathbf{0}$，長さ 1 のベクトル (以後，これを単位ベクトルと呼ぶ) であれば $\mathbf{1}_横$，$\mathbf{1}_縦$ などである．この手法によれば，上記関係は $\mathbf{1}_横 + (-\mathbf{1}_横) = \mathbf{0}$ と，普通の数の計算に沿った形で簡潔に書ける ($\mathbf{1}_縦$ も同様)．

斜交座標とウロボロス

1 減算が定義出来たところで，先に示した「345 の三角形」に関して再考する．ベクトルの和が，長方形の対角線

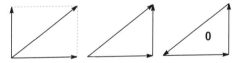

として得られたわけであるが，この時，縦方向のベクトルを横に $+4$ だけ平行移動しても，関連する内容は何も変わらないことが分かる．即ち，所望のものは，「長方形の対角線」としても「直角三角形の斜辺」としても構わない．

このようにベクトルは，平行移動に関してその性質を変えないので，長さが同じ平行なベクトルは，全て同じものとして処理することが出来る．そこで，先の数ベクトルを

$$(4,0) + (0,3) + (-4,-3) = (0,0)$$

と書き直す．これは鏃と尾を順に繋いだ場合，その総和がゼロ・ベクトルになることを表している (前頁右端の図).

ここまでは，直交座標系の軸に沿った単位ベクトルを中心に議論を展開してきた．この座標系を上下に潰せばどうなるか．縦横の長さはそのままに，軸の交わる角度だけを変えると，下の**右図**のような歪んだ格子が出来る．

 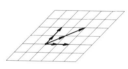

これを**斜交座標系**という．この時，二本のベクトルの和は，平行四辺形の対角線になる．それ以外は何も変わらない．加算も減算も，その手続きは直交座標系の場合と同様である．これが，最も一般的なベクトルの姿である．

二本のベクトルの相対的な位置関係として，「平行」と「直交」の二つの場合が特に重要である．先ず，平行であり，長さも等しければ，両者は同じものと見做される．長さが異なれば，ある数を掛けることで互いに他を表せる．直交している場合，両者には共通するところが何もない．

それ以外の一般的な角で交わっている場合は，両者の中間的な性質を持つ．ただし，適当な数を掛け算すること

で，他を表すことは出来ない．異なる方向を持つものを，方向を持たない唯の数で操ることは出来ないからである．その意味で両者は独立である．

2 さて，上で直角三角形において鏃と尾の組を繋いだ場合を採り上げた．この関係は，一般のベクトルの場合でも成り立つ．鏃に次の矢の尾を，またその鏃にと繋いで，全体が閉じた図形にさえなっていれば，途中に何本のベクトルが含まれていてもよい．一本ずつ加算をしていくと，最後には必ず同じ長さで反対向きの二本のベクトルが残る．その結果，最終的にはゼロ・ベクトルになるわけである．

これらの関係を，様々な古代文明に見られるシンボルの一つであるウロボロス (尾を飲む蛇) に擬え，**ウロボロスの理 (ことわり)** と命名しよう．閉じた図形をベクトルで扱う場合，先ずはこの "理" に従って全体像を描き，各ベクトルに適切な名を付けた後，その正負について論じればよい．

参考 物理的な力は，ベクトルで表される量である．物体に多数の力が働いている場合，その総和 (これを物理学では合力という) がゼロ・ベクトルであれば，実質的に力は働いていないことになる．力の働いていない物体は，等速直線運動 (静止を含む) をする．従って，物体に働いている力のベクトル全体が，閉じた図形を成す時，その物体は等速直線運動を行う．また，その逆も成り立つ．

力を面に作用させる時，最も効率的なのは，面と力の
ベクトルが直交している場合である．面に沿って抜けて
いく力の成分がないからである．運動競技の上達の秘訣
は，「面に垂直に力を伝える」こと，唯々このことに尽き
る．地面を足で蹴るのも，ボールをバットで打つのも投
げるのも，全て同じ原理である．なけなしの人間の力を，
目的外のところへ流していたのでは，成功は覚束ない．

行列の算法

　ここで行列の算法，その四則について紹介しておく．行
列は「何行・何列」という形式で指定される──行とは「横
の並び」，列とは「縦の並び」のことであった．学ぶべき
は，実質的な最小サイズである二行二列の行列である．

1　行列の四則は，その形に大きく依存している．先ず，
行列の加・減は同じ形式のもの同士でしか行えない．一般
論は煩雑に過ぎるので，以下を定義して例示する．なお，
行列であることを，頭部の波線により強調した．

$$\widetilde{\text{行列}}_1 := \begin{pmatrix} 5 & 7 \\ 2 & 3 \end{pmatrix}, \quad \widetilde{\text{行列}}_2 := \begin{pmatrix} 2 & 5 \\ 3 & 7 \end{pmatrix}.$$

行列の加・減は，対応する位置にある数同士の加・減：

$$\widetilde{\text{行列}}_1 + \widetilde{\text{行列}}_2 = \begin{pmatrix} 5+2 & 7+5 \\ 2+3 & 3+7 \end{pmatrix} = \begin{pmatrix} 7 & 12 \\ 5 & 10 \end{pmatrix},$$

$$\widetilde{\text{行列}}_1 - \widetilde{\text{行列}}_2 = \begin{pmatrix} 5-2 & 7-5 \\ 2-3 & 3-7 \end{pmatrix} = \begin{pmatrix} 3 & 2 \\ -1 & -4 \end{pmatrix}$$

である．行列に数を乗除する場合，全ての要素に対して，

その数を乗除する．一方，数を括り出すことも出来る．

$$2 \times \begin{pmatrix} 5 & 7 \\ 2 & 3 \end{pmatrix} = \begin{pmatrix} 10 & 14 \\ 4 & 6 \end{pmatrix} = \frac{1}{3} \begin{pmatrix} 30 & 42 \\ 12 & 18 \end{pmatrix}.$$

自分自身との引き算は，数 0 に対応する**ゼロ行列**となる．

$$\widetilde{行列}_1 - \widetilde{行列}_1 = \begin{pmatrix} 0 & 0 \\ 0 & 0 \end{pmatrix} = \widetilde{0}.$$

2 乗算に関しては，一行二列の行列と，二行一列の行列に対して，「横の要素と対応する縦の要素との積」を求め，それら全体の和を取るという次の関係が基本的である．

$$(5 \ \ 7) \begin{pmatrix} 2 \\ 3 \end{pmatrix} = 5 \times 2 + 7 \times 3 = 31.$$

ここで，乗算はこの順序 (横×縦) でなければ行えないことに注意する．左を**横ベクトル**，右を**縦ベクトル**と呼ぶ場合がある．両者をベクトルとして解釈する場合，この積を**内積**と呼ぶ．内積は単なる一つの数値になる．

行列の積は，この一般化である．下に示すように**内部が区分されていると見做して**，それらを組合せることで

$$\widetilde{行列}_1 \times \widetilde{行列}_2 = \begin{pmatrix} (5 \ 7) \\ (2 \ 3) \end{pmatrix} \left(\begin{pmatrix} 2 \\ 3 \end{pmatrix} \begin{pmatrix} 5 \\ 7 \end{pmatrix} \right)$$

$$= \begin{pmatrix} (5 \ 7) \begin{pmatrix} 2 \\ 3 \end{pmatrix} & (5 \ 7) \begin{pmatrix} 5 \\ 7 \end{pmatrix} \\ (2 \ 3) \begin{pmatrix} 2 \\ 3 \end{pmatrix} & (2 \ 3) \begin{pmatrix} 5 \\ 7 \end{pmatrix} \end{pmatrix} = \begin{pmatrix} 31 & 74 \\ 13 & 31 \end{pmatrix}$$

と求められる——行列の積は，通常の数とは異なり，掛け算の順序に依存する．行列の除法は，**逆行列**との積として

計算される．これは 1 を 2 で割ることが，2 の逆数である $1/2$ を掛けることになるのと同じ意味である．例えば

$$\begin{pmatrix} 3 & -7 \\ -2 & 5 \end{pmatrix} \begin{pmatrix} 5 & 7 \\ 2 & 3 \end{pmatrix} = \begin{pmatrix} 1 & 0 \\ 0 & 1 \end{pmatrix} = \widetilde{1}.$$

左端が $\widetilde{行列}_1$ の逆行列である．また，$\widetilde{1}$ を**単位行列**と呼ぶ．逆行列は，元の行列の左右どちらから掛けてもよい．

行列を「横ベクトルの集まり」と見做した時，これら二本のベクトルより成る平行四辺形の面積をベクトルの**外積**，行列の立場からは**ディターミナント** (determinant) という——通常，行列式と訳されるが，"決定式" の方が適切であろう．$\widetilde{行列}_1$ の場合，その値は $5×3 - 2×7 = 1$ となる．

二行二列の場合，その逆行列は「右下がり対角線に位置する数を交換し，残る数に負号を付けて，行列全体を外積で割ったもの」になる．従って，外積が 0 になる行列は逆行列を持てない．これは二本のベクトルの方向が重なり，図形が潰れることに対応している．この種の計算が可能であるためには，今調べている二行二列の行列のように，行数と列数が等しい必要がある．これを**正方行列**という．

例えば，正方行列：

$$\begin{pmatrix} 4 & 0 \\ 4 & 3 \end{pmatrix}$$

を横ベクトル：$(4\ \ 0)$ と $(4\ \ 3)$ の組と見れ

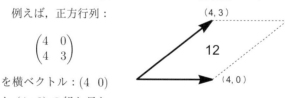

ば，この二本のベクトルが張る平行四辺形の面積は 12 になる．従って，逆行列は次のようになる——元の行列との

積を取れば単位行列になる (右下) ことが確認出来る.

$$\frac{1}{12}\begin{pmatrix} 3 & 0 \\ -4 & 4 \end{pmatrix} \quad \Bigg| \quad \frac{1}{12}\begin{pmatrix} 3 & 0 \\ -4 & 4 \end{pmatrix}\begin{pmatrix} 4 & 0 \\ 4 & 3 \end{pmatrix} = \begin{pmatrix} 1 & 0 \\ 0 & 1 \end{pmatrix}$$

3 さて, 連立方程式の係数のみを抜き出して行列とすれば, その逆行列を求めることで, 連立方程式が機械的に解ける. 例えば, 先に扱ったワインの問題の場合であれば

$$\begin{bmatrix} 値_{赤}\times 3 + 値_{白}\times 5 = 94 \\ 値_{赤} - 値_{白} = 2 \end{bmatrix} より, \quad \begin{pmatrix} 3 & 5 \\ 1 & -1 \end{pmatrix}\begin{pmatrix} 値_{赤} \\ 値_{白} \end{pmatrix} = \begin{pmatrix} 94 \\ 2 \end{pmatrix}$$

と書き直す. この時, 外積は $3\times(-1) - 5\times 1 = -8$ と求められる. そこで逆行列を求め, 各辺の左側から掛けると

<table>
<tr><td align="center">左辺</td><td align="center">右辺</td></tr>
</table>

$$\frac{1}{-8}\begin{pmatrix} -1 & -5 \\ -1 & 3 \end{pmatrix}\begin{pmatrix} 3 & 5 \\ 1 & -1 \end{pmatrix}\begin{pmatrix} 値_{赤} \\ 値_{白} \end{pmatrix} \quad \Bigg| \quad \frac{1}{-8}\begin{pmatrix} -1 & -5 \\ -1 & 3 \end{pmatrix}\begin{pmatrix} 94 \\ 2 \end{pmatrix}$$

$$= \begin{pmatrix} 1 & 0 \\ 0 & 1 \end{pmatrix}\begin{pmatrix} 値_{赤} \\ 値_{白} \end{pmatrix} = \begin{pmatrix} 値_{赤} \\ 値_{白} \end{pmatrix} \quad \Bigg| \quad = \begin{pmatrix} 13 \\ 11 \end{pmatrix}$$

となる. 両辺を等しいとおいて, ワインの価格を得る.

複素数とベクトル

議論は, 再び直交座標系の第一象限に戻る. ただし, 今回は縦の単位を i に取る. 横方向はそのままである.

1 これは先に紹介した**複素平面**を考えることである. この時, 前例と同様に座標を格子上のあるべき場所に記すと, 次の図のようになる. そして, この段階で既に極めて重要な違いが露わになる.

それは，前例が二要素を一つの塊として扱う順序対であったのに対して，今回は単なる一つの複素数になっていることである．その結果，例えば $(4, 3)$ と表されていたものが，$4 + 3i$ という形で記されている．

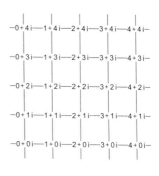

座標の加減が，各要素同士の加減であったように，この場合は，実数と i の掛かった部分の，それぞれを独立に計算することになる．しかしながら，元々複素数の加減とは，そのように定義されている．例えば

$$\begin{array}{r} 7 + 5i \\ 2 + 3i \\ \hline 9 + 8i \end{array} \ (+ \qquad \begin{array}{r} 7 + 5i \\ 2 + 3i \\ \hline 5 + 2i \end{array} \ (-$$

が成り立つ——ここでも，縦書き計算により要素の独立性を強調した．従って，実際には単に「複素数の和・差を取る」ということになる．これより，二つの単位：$1, i$ から

$$\begin{array}{r} 3 \times (0 + 1i) \\ 4 \times (1 + 0i) \\ \hline 4 + 3i \end{array} \ (+$$

が構成されることが確認出来た．また，この数の絶対値が，$|4 + 3i| = 5$ となることは既に示している．このようにして，複素数は唯それだけでベクトルとして扱うべき性質を持っていることが分かった．

2 そして，複素数のさらなる特徴として，回転を容易に記述出来る点が挙げられる．複素平面において，横方向の単位ベクトルは 1 であり，縦方向のそれは i であった．この平面内において，i を掛け算するということは，掛けられた数を反時計回りに 90 度回転させることを意味している．その最も単純な例が，既に示した単純な i の冪である．

ここで，単位円を思い出そう．正弦関数は縦の軸に対する影の長さ，余弦関数は横の軸に対するそれであった．この関係をそのまま複素平面に映すと，正弦関数の値に i を掛ければよいことになる．

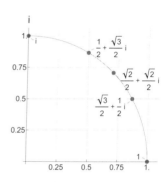

そこで，先に調べた値を一つの複素数にまとめ，図示した．ここに記した点は，全て絶対値が 1 の複素数を表している．実際，具体的な計算をして，以下の結果を得る．

$$\left|\frac{\sqrt{3}}{2}+\frac{1}{2}i\right|=1, \quad \left|\frac{\sqrt{2}}{2}+\frac{\sqrt{2}}{2}i\right|=1, \quad \left|\frac{1}{2}+\frac{\sqrt{3}}{2}i\right|=1.$$

従って，これらの値は，全て「複素平面上における単位円」の上に乗っている．その点を回転させるということは，同じ円周上の別の位置に移すということである．そこで，$\pi/6$ における点に i を掛け算して

$$i\times\left(\frac{\sqrt{3}}{2}+\frac{1}{2}i\right)=-\frac{1}{2}+\frac{\sqrt{3}}{2}i.$$

これは 90 度進んだ $2\pi/3$ における点を表している．四回の掛け算で一周する虚数単位の性質がそのまま保たれ，その出発点が $\pi/6$ になるという期待通りの結果を得た．

　複素数は加減により，複素平面上の点を平行移動させ，乗除により回転させる．全ては「-1 の平方根」を数として認知したことに始まる．掛ければ反時計方向に 90 度の回転を引き起こし，割れば時計方向に 90 度回転させる．

$$1\times\mathrm{i} = \mathrm{i}, \qquad \frac{1}{\mathrm{i}} = \frac{\mathrm{i}}{\mathrm{i}^2} = -\mathrm{i}.$$

この単純な仕掛けの中に，様々な数学的概念が詰まっている．代数を出自とする虚数であるが，幾何学における活躍ぶりは，その出生地に優るとも劣らない．

　本書に登場した文字は，定数を表す $\pi, \mathrm{e}, \mathrm{i}$ の僅か三つであった——固有名詞的に使われる記号の書体には "立体" を用いる．しかも，これらの定数の間には驚くべき関係：

$$\mathrm{e}^{\mathrm{i}\pi} = \mathrm{i}^2$$

が存在する．この式に至る端緒は開いた．それぞれの定数が持つ働きに想いを馳せながら，この式に戻る時，九九に始まる四則計算が持つたくましさ，それが導く地平の広さに，読者は驚嘆されるだろう．そして，その発見の原点は

$$2.72^{3.14\sqrt{-1}} \approx -1$$

といった近似計算に根を持っている．これが，ガウスやオイラーなど，歴史上の大数学者が歩んだ道である．世紀の大発見も偉大な証明も，全ては膨大な手計算の果てに掴んだ「数に対する鋭敏な感覚」が見出したものなのである．

附録

専門用語とは，対象を一意に定め，他と識別するためのものである．その目的を達成するため，敢えて非日常的な言葉を割り当てる傾向がある．これは「警告」である．

人はこうした言葉に接した時，その意味は，定義は何かと自問し始める．日々の生活の中で使われる言葉に，そんな力は無い．あるのは，近しいが故に様々な概念が混濁した不透明な世界である．「面倒で馴染みもないが一意である」か，「直観的ではあるが多義である」か，どちらが理解への確実な道を提供してくれるか．この種の問題を棚に上げて，「平易な言葉で語れ」という一面的な主張を繰り返したところで，結局不利益を被るのは学習者側である．

例えば，「集合」は人を集める「掛け声」としても，具体的な集団を指す場合にも使われる．人に対しても物に対しても使う．こうした日常語からの転用の場合，その扱いには細心の注意が必要である．これは我が国特有の現象ではない．自然言語というものが持つ宿命である．

「自己無撞着」という言葉を聞いて，直ちに理解する人は少ない．字面を見て初めてその意味が想像されるだけである．確かにこれを「辻褄が合う」と訳せば，敷居は一段低くなる．されど理解への道はなお遠い．卑近な和語を操るか，熟れない漢語の列に身を委ねるか，何れにしても「文脈を読む能力」，即ち母語の理解力がその鍵を握っている．

しかし，本質はやはり数式の中にある．従って，式が読め，論理が扱えなければ高くは飛べない．ただし，それは

最終目標である．「現実的な足場がある」からこそ，理解出来るという場合もあれば，具体的な要素を排除した結果，透明度が上がって「抽象的だから分かりやすい」となる場合もある．人により，その習熟度により，基準は様々に変化する．先ずは"地を這えること"が第一目標である．

「英語が出来なければ人にあらず」の風潮を先導している同じ人達が，その一方で「多様化」を叫んでいる．グローバリズムとは「世界画一化」の意であるにも関わらず．

数の体系は，現実を抽象化した概念上の産物である．数から文字へ，抽象性の壁はさらに高い．多くの人はそれを感じないまま通り過ぎ，振り返ることをしない．何故かあるレベルから理解が及ばなくなる場合，基本的な要素，特に文字の認識や扱いに問題があることが多い．しかし，この症状は原因を特定することが難しく，気付いた時には重症化しており，根本的な治癒に至らないのである．

抽象性が数学の全てではない．過度の強調は画一化そのものである．本書は，そうした風潮に抗う多様化の一つの試みとして，文字を排除し，数のみによって高校数学を素描した．具体例が把握出来てこそ，細部が理解出来る．もし，本書の記述が難渋だと感じられるなら，それは「文字を受け入れる準備が出来た」という嬉しい報せである．

最後に本文の内容の一部について，文字を使った説明を添えた．次なる飛躍への一助として頂ければ幸いである．初学者のみならず，手練れの人にも刺激になるだろうと考えて，独自記法の概要も示した．是非お試し頂きたい．

数と区間と絶対値

　数の集合を白抜きの立体：$\mathbb{N}$(自然数)，$\mathbb{Z}$(整数)，$\mathbb{Q}$(有理数)，$\mathbb{R}$(実数)，$\mathbb{C}$(複素数) で略記する．なお，本文前半では主に対象を $\mathbb{N}$ に限定していたため，負数は考察外であったが，一般的には約数・倍数は $\mathbb{Z}$ の範囲で定義される．

　さて，評価とは不等号で挟むことであった．本文における $\pm\sqrt{2}$ の評価は，数直線 ($\mathbb{R}$ の図解) を用いた区間：

により表せる——本文で記した「負号により不等号が反転する」といった形式的な工程の記憶よりも，数直線上の大小関係を正確に把握することを優先すべきである．

　次に，絶対値記号：

$$|x| := \begin{cases} x \ (0 \leqq x), \\ -x \ (x < 0) \end{cases}$$

を含む関数のグラフを描く便法を紹介する．先ず，絶対値を外した式が何次になるかを調べる．

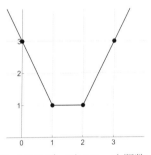

　例えば，$y = |x-1| + |x-2|$ であれば，"高々" 一次関数 (直線) である．そこで，記号内を 0 にする値 $x = 1, x = 2$ を代入すると，グラフは二点 $(1,1), (2,1)$ を通ることが分かる．さらに，この二点の外側の値，例えば $x = 0, x = 3$ を代入すると，通過点 $(0,3), (3,3)$ が決まる．これら四点を通る "直線" を描いて，所望のグラフ (上) が得られる．

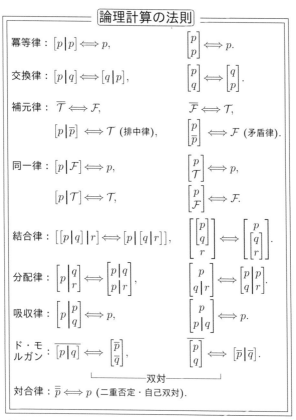

記号 ∨ と ∧ の代わりに，以下の関係を充たす記号を用いている．

$$\left[\mathcal{F}\,\middle|\,\mathcal{F}\right] \iff \mathcal{F}\,(else\,\mathcal{T}), \qquad \begin{bmatrix}\mathcal{T}\\\mathcal{T}\end{bmatrix} \iff \mathcal{T}\,(else\,\mathcal{F})$$

$\mathcal{T}$ は真，$\mathcal{F}$ は偽を，else は「それ以外の全て」を意味する．各行において，縦と横，真と偽を同時に入れ替えた「左右二式の関係」が双対である——従って，どちらか一方を理解すればよい．

═══ 集合計算の法則 ═══

冪等律：$\langle A\,|\,A\rangle = A,$ $\qquad\qquad \left\langle\begin{matrix}A\\A\end{matrix}\right\rangle = A.$

交換律：$\langle A\,|\,B\rangle = \langle B\,|\,A\rangle,$ $\qquad \left\langle\begin{matrix}A\\B\end{matrix}\right\rangle = \left\langle\begin{matrix}B\\A\end{matrix}\right\rangle.$

補元律：$\overline{U} = \varnothing,$ $\qquad\qquad\qquad \overline{\varnothing} = U,$

$\quad\quad\quad\ \ \langle A\,|\,\overline{A}\rangle = U,$ $\qquad\qquad \left\langle\begin{matrix}A\\\overline{A}\end{matrix}\right\rangle = \varnothing.$

同一律：$\langle A\,|\,\varnothing\rangle = A,$ $\qquad\qquad \left\langle\begin{matrix}A\\U\end{matrix}\right\rangle = A,$

$\quad\quad\quad\ \ \langle A\,|\,U\rangle = U,$ $\qquad\qquad \left\langle\begin{matrix}A\\\varnothing\end{matrix}\right\rangle = \varnothing.$

結合律：$\langle\langle A\,|\,B\rangle\,|\,C\rangle = \langle A\,|\,\langle B\,|\,C\rangle\rangle,$ $\quad \left\langle\begin{matrix}\left\langle\begin{matrix}A\\B\end{matrix}\right\rangle\\C\end{matrix}\right\rangle = \left\langle\begin{matrix}A\\\left\langle\begin{matrix}B\\C\end{matrix}\right\rangle\end{matrix}\right\rangle.$

分配律：$\left\langle A\,\Big|\,\begin{matrix}B\\C\end{matrix}\right\rangle = \left\langle\begin{matrix}A\,|\,B\\A\,|\,C\end{matrix}\right\rangle,$ $\qquad \left\langle\begin{matrix}A\\B\,|\,C\end{matrix}\right\rangle = \left\langle\begin{matrix}A\\B\end{matrix}\,\Big|\,\begin{matrix}A\\C\end{matrix}\right\rangle,$

吸収律：$\left\langle A\,\Big|\,\begin{matrix}A\\B\end{matrix}\right\rangle = A,$ $\qquad\qquad \left\langle\begin{matrix}A\\A\,|\,B\end{matrix}\right\rangle = A.$

ド・モ
ルガン：$\overline{\langle A\,|\,B\rangle} = \left\langle\begin{matrix}\overline{A}\\\overline{B}\end{matrix}\right\rangle,$ $\qquad\qquad \overline{\left\langle\begin{matrix}A\\B\end{matrix}\right\rangle} = \langle\overline{A}\,|\,\overline{B}\rangle.$

$\qquad\qquad\qquad\quad \underbrace{\qquad\qquad\qquad\qquad\qquad\qquad}_{\text{双対}}$

対合律：$\overline{\overline{A}} = A$ （自己双対）.

論理式との関係

$A \subset B := \forall x\,[x \in A \Longrightarrow x \in B], \quad A = B := \begin{bmatrix}A \subset B\\B \subset A\end{bmatrix},$

$\langle A\,|\,B\rangle := \{x\,|\,[x \in A\,|\,x \in B]\}, \quad \left\langle\begin{matrix}A\\B\end{matrix}\right\rangle := \left\{x\,\Big|\,\begin{bmatrix}x \in A\\x \in B\end{bmatrix}\right\}.$

全体集合：U が $\mathcal{T}$ に，空集合：$\varnothing$ が $\mathcal{F}$ に対応する.

論理記号の応用

1 論理和の新記法を用いれば「場合分け」も極めて視覚的に表記することが出来る．例えば，実数：a に対して

$$[a = 0 \,|\, a \neq 0], \quad [a < 0 \,|\, 0 \leqq a], \quad [a < 0 \,|\, a = 0 \,|\, 0 < a]$$

などが考えられる．左は分母に含まれる場合，中央は負数に特別の配慮が必要な場合，右は判別式などに有効である．合同式による数の分類や，名称による角の分類も

$$\left[a \overset{4}{\equiv} 0 \,\middle|\, a \overset{4}{\equiv} 1 \,\middle|\, a \overset{4}{\equiv} 2 \,\middle|\, a \overset{4}{\equiv} 3\right], \quad [鋭角 \,|\, 直角 \,|\, 鈍角]$$

などと表せる．また，各項目の個別引用が必要な場合には

$$[\mathrm{A} : a < 0 \,|\, \mathrm{B} : a = 0 \,|\, \mathrm{C} : 0 < a]$$

としてもよい——これは論理記号の流用であり，「見出し」としての意味合いが強い．連立方程式を表す場合には

$$\begin{bmatrix} (1) : \ x + y = 3 \\ (2) : \ x - y = 1 \end{bmatrix}$$

などと出来る．このように，新記法を用いれば，問題の論理構造が明確になると共に，見間違いによる単純なミスが減り，「目次」としての活用も期待出来るのである．

2 各種計算の基礎となる同値変形を紹介する．先ずは対偶である．対偶は元の論理式と同値である．それは

$$[\overline{q} \Longrightarrow \overline{p}] \Longleftrightarrow [\overline{\overline{q} \,|\, \overline{p}}] \Longleftrightarrow [q \,|\, \overline{p}] \Longleftrightarrow [\overline{p} \,|\, q] \Longleftrightarrow [p \Longrightarrow q]$$

により示される．「対偶」「ド・モルガンの法則」「双対性」は既知の関係を書き換え，対象の新しい見方を提供する．

等号付きの不等号による大小関係を束ねた：

$$\begin{bmatrix} a \leqq b \\ b \leqq a \end{bmatrix} \iff \begin{bmatrix} a = b & a < b \\ b = a & b < a \end{bmatrix}$$

$$\iff \begin{bmatrix} a = b & a = b & a < b & a < b \\ b = a & b < a & b = a & b < a \end{bmatrix}$$

$$\iff \begin{bmatrix} a = b & \mathcal{F} & \mathcal{F} & \mathcal{F} \end{bmatrix} \iff (a = b)$$

は，等式の証明そのものの流れを表している．

　二数の積に関して，以下の関係が成り立つ．

$$0 < ab \iff \begin{bmatrix} a < 0 & 0 < a \\ b < 0 & 0 < b \end{bmatrix},$$

$$ab = 0 \iff \begin{bmatrix} a = 0 & b = 0 \end{bmatrix},$$

$$ab < 0 \iff \begin{bmatrix} a < 0 & & & 0 < a \\ & 0 < b & b < 0 & \end{bmatrix}.$$

判別式：$b^2 - 4ac$ を D として，二次不等式の同値関係は

$$\exists x [0 < ax^2 + bx + c] \iff \begin{bmatrix} a < 0 & a = 0 & & 0 < a \\ 0 < D & b \neq 0 & 0 < c & \end{bmatrix}$$

と表すことが出来る．以上，a, b, c は実数である．

　存在記号 $\exists$ は，「少なくとも一つ」存在することを表した．「ただ一つだけ」存在する時，これを「一意である」という．また，「最大で一つ」存在する場合，これはゼロ個か一個か，そのどちらかという意味であり，これを「高々一つ存在する」と言う．そこで「最低でも一つ」「ただ一つだけ」「最大でも一つ」という「1 を巡る三種の表現」を，個数を N として表の形にまとめておく．

和語	英語	個数
最低でも一つ・少なくとも一つ	*at least one*	$1 \leqq N$
ただ一つだけ・一意に	*just one*	$N = 1$
最大でも一つ・高々一つ	*at most one*	$N = [0|1]$

等差・等比数列の対照的導出

●等差数列の場合

隣接する二項の差が公差と呼ばれる一定の数 d である数列：

$$\boxed{\text{漸化式}：a_{n+1} - a_n = d}$$

を等差数列という．ここで，d は「difference，あるいは distance の d」だと理解すればよい．以下に示す n 個の式の辺々の和を取ると

$$a_2 - a_1 = d$$
$$a_3 - a_2 = d$$
$$\vdots$$
$$\underline{+)\ a_{n+1} - a_n = d}$$
$$-a_1 + a_{n+1} = nd$$

よって，$a_{n+1} = a_1 + nd$.
番号 n を一つ動かして

一般項：$a_n = a_1 + (n-1)d$

が導かれる．ここで，$1 \leqq n$.

次に，連続する三項 $(n+1, n, n-1)$ 間の関係を考える．

$$a_{n+1} - a_n = d,$$
$$a_n - a_{n-1} = d$$

が成り立つから，これより

$$a_{n+1} - a_n = a_n - a_{n-1}$$

を得る．よって

$$a_{n+1} + a_{n-1} = 2a_n$$

これより，三数 a, b, c がこの順序で等差数列ならば $a + c = 2b$ であり，また逆が成り立つ

●等比数列の場合

隣接する二項の比が公比と呼ばれる一定の数 r である数列：

$$\boxed{\text{漸化式}：a_{n+1}/a_n = r}$$

を等比数列という．ここで，r は「ratio の r」だと理解すればよい．ただし $a_n \neq 0, r \neq 0$ である．以下に示す n 個の式の辺々の積を取ると

$$a_2/a_1 = r$$
$$a_3/a_2 = r$$
$$\vdots$$
$$\underline{\times)\ a_{n+1}/a_n = r}$$
$$a_{n+1}/a_1 = r^n$$

よって，$a_{n+1} = a_1 r^n$.
番号 n を一つ動かして

一般項：$a_n = a_1 r^{n-1}$

が導かれる．ここで，$1 \leqq n$.

次に，連続する三項 $(n+1, n, n-1)$ 間の関係を考える．

$$a_{n+1}/a_n = r,$$
$$a_n/a_{n-1} = r$$

が成り立つから，これより

$$a_{n+1}/a_n = a_n/a_{n-1}$$

を得る．よって

$$a_{n+1} \cdot a_{n-1} = a_n^2$$

これより，$a, b, c, (abc \neq 0)$ がこの順序で等比数列ならば $a \cdot c = b^2$ であり，また逆が成

ことも示せる――b を a,c の 等差中項と呼ぶ. ここで
$$b = \frac{a+c}{2}$$
を相加平均 (通常の "平均") という. 特に $a = c$ の時, $b = a$.

り立つことも示せる――b を a,c の等比中項と呼ぶ. ここで
$$b = \sqrt{a \cdot c}$$
を相乗平均 (a, b, c は正数) という. 特に $a = c$ の時, $b = a$.

$\underbrace{}$

左右を比較すれば一目瞭然である. 等差数列での引き算を割り算にすれば, 等比数列になる.「差」が減法,「比」が除法を示唆する用語であることに対応した結果である.

数列の一般的理論

1 関数 $f(n)$, 定数 p を含む漸化式の一般項を求める.

(A)：$a_{n+1} - pa_n = f(n)$,　　(B)：$a_{n+1}/a_n = f(n)$.

先ず (A) の場合, $n = 1$ の結果から縦に並べ, 各式の両辺に定数を p^n から p^1 までを順に掛けて, 全体の和を取る.

$$p^n \times (a_2 - pa_1) = p^n a_2 - p^{n+1} a_1 = p^n f(1)$$
$$p^{n-1} \times (a_3 - pa_2) = p^{n-1} a_3 - p^n a_2 = p^{n-1} f(2)$$
$$\vdots \qquad\qquad\qquad \vdots$$
$$p^1 \times (a_{n+1} - pa_n) = p^1 a_{n+1} - p^2 a_n = p^1 f(n) \quad (+$$
$$\overline{-p^{n+1} a_1 + pa_{n+1} = p^n f(1) + p^{n-1} f(2) + \cdots + pf(n)}$$

上式の全体を p で割り, 整理して以下を得る.

$$a_{n+1} = pa_n + f(n) = p^n a_1 + \sum_{k=1}^{n} p^{n-k} f(k).$$

ここで示したように, いきなり最終形を目指さず, 先ずは次数を揃えて積を取り, 最後に調整した方が間違い難い.

(B) の場合は，列挙して積を取り，「約分」した結果：

$$a_{n+1} = a_n f(n) = a_1 \times \prod_{k=1}^{n} f(k)$$

を得る．以下に，**総和**と**総乗記号**の定義をまとめておく．

$$\sum_{i=1}^{m} g(i) := g(1) + g(2) + \cdots + g(m),$$

$$\prod_{i=1}^{m} g(i) := g(1) \times g(2) \times \cdots \times g(m).$$

2 一般項 (A) の個別事例について見ていく．

[1]：$f(n) = q$(定数)，即ち $a_{n+1} - pa_n = q$ の場合：

$$a_{n+1} = p^n a_1 + q \sum_{k=1}^{n} p^{n-k} = p^n a_1 + q \frac{p^n - 1}{p - 1}$$

となる．上式は $p = 1$，即ち $a_{n+1} - a_n = q$ の場合には

$$a_{n+1} = a_1 + q \sum_{k=1}^{n} 1 = a_1 + q(\underbrace{1 + 1 + \cdots + 1}_{n \text{ 個}})$$

とさらに簡略化され，等差数列：$a_{n+1} = a_1 + qn$ になる．

[2]：$q = 0$ の場合，等比数列：$a_{n+1} = p^n a_1$ になる．

[3]：一般の $f(n)$ に対して $p = 1$，即ち

$$a_{n+1} - a_n = f(n) \text{ の場合，} \quad a_{n+1} = a_1 + \sum_{k=1}^{n} f(k).$$

[4]：$f(n) = sq^n$ (s, q は定数)，即ち

$$a_{n+1} - pa_n = sq^n \text{の場合，} \quad a_{n+1} = p^n a_1 + sq \frac{p^n - q^n}{p - q}.$$

[5]：$a_{n+1}{}^s = r a_n{}^t$ $(r, s, t$ は定数$)$ の場合，両辺の対数 (底は r を意識して決める) を取り，項を整理すると

$$s \log a_{n+1} = \log r + t \log a_n$$

となり，$\log a_n = b_n$，$t/s = p$，$\log r/s = q$ とおけば [1] に帰着する──ここで，$b_1 = \log a_1$ であることに注意.

[*]：隣接する三項間の漸化式に対しては

$$a_{n+2} - (p+q)a_{n+1} + pq a_n = 0$$

となる p, q を見付ければ，$b_n := a_{n+1} - p a_n$ と置いて

$$a_{n+2} - p a_{n+1} = q(a_{n+1} - p a_n) \quad \text{より} \quad b_{n+1} = q b_n$$

と変形することが出来て，[2] により解決する.

3 一般項 (B) の活用の鍵は，総乗計算にある. 先ず

$$\prod_{i=1}^{m} i = 1 \cdot 2 \cdots m = m!, \quad \prod_{i=1}^{m} \frac{1}{i} = \frac{1}{m!}$$

である. ここで，階乗計算の「始点」を動かすと

$$(1+m)! = 2 \cdot 3 \cdots m \cdot (1+m) = \frac{m!}{1!}(1+m),$$
$$(2+m)! = 3 \cdot 4 \cdots m \cdot (1+m) \cdot (2+m) = \frac{m!}{2!}(1+m)(2+m)$$

となる. これらの結果を用いて，以下の関係を得る.

$$\prod_{i=1}^{m} \frac{i}{1+i} = \frac{m!}{(1+m)!} = \frac{1}{1+m},$$
$$\prod_{i=1}^{m} \frac{i}{2+i} = \frac{m!}{(2+m)!} = \frac{2}{(1+m)(2+m)}.$$

最大公約数を求める

本文でも紹介した方法であるが，ここでは多項式の場合も含めて，文字を使って説明する．

1 互除法は，二数：G, C（ただし，$G > C$）に対して

$$\boxed{\begin{array}{c} C \\ G \equiv D_1 \end{array}}$$

と表すことが出来る．具体的には，先ず G を C で割り，剰余：D_1 を求める．これを以下の手順により連続的に行う．

矢印の方向に従って，各数値を反時計回りに 90 度回転移動させる．これにより，割る数が次のステップの割られる数になり，剰余が割る数に変じる．即ち

計算手順	具体例
$\swarrow \begin{array}{c} C \\ G \equiv D_1 \end{array} \nwarrow$	$\swarrow \begin{array}{c} 55 \\ 77 \equiv 22 \end{array} \nwarrow$
$\swarrow \begin{array}{c} D_1 \\ C \equiv D_2 \end{array} \nwarrow$	$\swarrow \begin{array}{c} 22 \\ 55 \equiv 11 \end{array} \nwarrow$
$\begin{array}{c} D_2 \\ D_1 \equiv D_3 \end{array}$	$\begin{array}{c} 11 \\ 22 \equiv 0 \end{array}$

である．そして，$D_{k+1} = 0$ の時，合同記号の上の D_k が二数の最大公約数，GC/D_k が最小公倍数を与える．

法を記号の上に書く効能を示すために，GCD を「文字順のままに求める」という視覚に訴える解法を紹介した．標語的には，「GCD」「$G\,^C\!D$」「$G > C > D$」「GC/D」と四回唱えれば，所望の答が得られるということである——名称・手法・関係・応用を象徴する四連呼である．この方法は，互除法の仕組を記憶するにも，具体的な計算の手順を間違いなく記していくことにも貢献する．

2 互除法は，多項式 (各係数は有理数とする) に対しても適用可能である．この場合，単なる数の場合とは異なり，各項目の既述が長く複雑になるので，合同記号を縦にして対応する．「語順」は上から下へ GCD である．

計算が一段階進めば，各項目も一段上に上がる．剰余が 0 になった段階で計算は終了し，その時の中段の項目が二式の最大公約 (多項) 式になる．例えば

$$G := x^2 + 2x + 1, \quad C := x^2 - 1$$

において，両者の共通因子は $(x + 1)$ であるが，これは

$$
\begin{array}{|ll|}
\hline
G & C \\
\| C \nearrow & \| D_1 \\
D_1 \nearrow & D_2 \\
\hline
\end{array}
\qquad
\begin{array}{ll}
x^2 + 2x + 1 & x^2 - 1 \\
\| x^2 - 1 \nearrow & \| \boldsymbol{x + 1} \\
2(x + 1) \nearrow & 0
\end{array}
$$

によって求められる．剰余が定数で括れる場合には，次の段階ではこれを除去したものを採用する．これは，$(x + 1)$ が $2(x + 1)$ でも，$(x + 1)/2$ でも割り切れること，即ち，全体に共通する係数は次の商には反映されるが，「剰余には影響しない」ことから理解出来る．

多項式の乗除に関する一趣向

◆縦×横の形式で乗法を行う (丸数字は次数).

$$(2x + 1)(x^2 - 3x + 5) \quad に対して$$

$$
\begin{array}{c|ccc}
 & ② & ① & ⓪ \\
\hline
① & 2 & & \\
⓪ & 1 & & \\
\end{array}
\begin{array}{|ccc|}
\hline
1 & -3 & 5 \\
\hline
\end{array}
=
\begin{array}{ccc c}
③ & ② & ① & ⓪ \\
|2| & -6 & 10 & \\
| & 1 & -3 & 5 \\
\hline
\mathbf{2} & \mathbf{-5} & \mathbf{7} & \mathbf{5}
\end{array}
$$

$$より \quad 2x^3 - 5x^2 + 7x + 5.$$

◆除法 (丸数字は次数)．A/B の形式で横に並べて書く．
左欄・横に剰余，右欄・縦に商の「各次数の係数」が並ぶ．

$$A := 2x^3 + 3x^2 + 1, \quad B := x^2 - x + 2$$

$$
\begin{array}{rrrr|rrr}
③ & ② & ① & ⓪ & ② & ① & ⓪ \\
\mathbf{2} & \mathbf{3} & \mathbf{0} & \mathbf{1} & \mathbf{1} & \mathbf{-1} & \mathbf{2} \\
\end{array}
$$

$$A = BQ + R: \quad R = x - 9, \quad Q = 2x + 5.$$

微分と積分：様々な記法

◆冪：$f(x) = x^n$ の微分と積分

$$\frac{\mathrm{d}}{\mathrm{d}x} f(x) = nx^{n-1}, \quad \int_0^x f(t)\mathrm{d}x = \frac{1}{n+1}x^{n+1}, \ (n \neq -1).$$

◆関数：$f(x) = \sin x, g(x) = \cos x, h(x) = \tan x$ の微分

$$\frac{\mathrm{d}f}{\mathrm{d}x} = g, \quad \frac{\mathrm{d}g}{\mathrm{d}x} = -f, \quad \frac{\mathrm{d}h}{\mathrm{d}x} = \frac{\mathrm{d}}{\mathrm{d}x}\frac{f}{g} = \frac{1}{g^2}.$$

◆指数関数・対数関数の微分

$$\mathrm{D} := \frac{\mathrm{d}}{\mathrm{d}x} \ \text{として} \ \mathrm{D}\mathrm{e}^x = \mathrm{e}^x, \quad \mathrm{D}\log_\mathrm{e}|x| = \frac{1}{x}.$$

◆派生的な関数とその応用

$$\mathrm{D}\frac{\sin x}{x} = \frac{x\cos x - \sin x}{x^2}, \quad \mathrm{D}\frac{\log_\mathrm{e} x}{x} = \frac{1 - \log_\mathrm{e} x}{x^2}.$$

$$\lim_{x \to 0}\frac{\sin x}{x} = 1, \quad \frac{\log_\mathrm{e}\pi}{\pi} < \frac{\log_\mathrm{e}\mathrm{e}}{\mathrm{e}} \ (\pi^\mathrm{e} < \mathrm{e}^\pi).$$

応用上重要な関数のグラフ

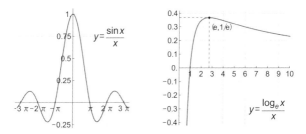

上二例は前頁末の関数, 下は**標準正規分布**のグラフである.

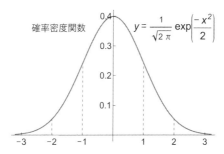

上記のように, 指数関数の "肩が重い" 場合, 記号：exp を用いて下に降ろす. このグラフの面積は, **ガウス積分**：

$$\int_{-\infty}^{\infty} \mathrm{e}^{-x^2}\mathrm{d}x = \sqrt{\pi}$$

より 1 となる. また, 区間：$[-1, 1]$ の間の面積は全体の 68.27%. 区間：$[-2, 2]$ では 95.45%, 区間：$[-3, 3]$ では 99.73% を占めることが具体的な計算から示される.

なお, 各データと平均値の差を**偏差**,「二乗の平均値」から「平均値の二乗」を引いたものを**分散**と呼び, 一般に s^2 で表す. この正の平方根を**標準偏差**という.

後書

著者は，以前から「理工書は前書，後書を読んだ後，初回は本文を後ろから前へと読む」を推奨しているので，本文未読のまま直接来られた方もおられるかもしれない——あるいは，前書の誘導に乗られたか．ここでは本文とは少し毛色の変わった問題を扱うので未読でも構わない．「誰もが経験していながら，多くの人が意識すらしてこなかった学校教育のある問題」について少し考えてみたい．

　公立の学校で学ぶ教科の指導方針は，文科省がその「**範囲**」と学ぶべき「**順序**」を学年別に定めた上で，検定教科書という形で示されてきた．時を経て扱う範囲に多少の異同は生じても，この仕組自体は変わっていない．そして，その「範囲」に関してはしばしば話題になるが，その「順序」に関しては，誰も気に掛けていないように思われる．ここで議論したいのは，この「順序の問題」である．

　学校の授業は，教科書の前から後ろへと「直線的」に進んでいく——「論理的」と言ってもいいだろう．今日学ぶことは，昨日までに学んだことだけを前提にしている．未習の内容は扱われない．それが出来るように，文科省と教科書執筆陣が苦労して「単元の組合せパズルを解いた結果」が，現行の教科書であり，それを補完する一連の参考書である．確かにこの順序には一定の効能がある．指導側は，明確な基準が示されていることで授業負担が軽減される．定期試験も作りやすい．また，学生側にとっても，例えば長期休学した場合でも，復帰後の対応が取りやすいな

ど，色々とメリットはある．確かに広く国民一般に向けた基礎教育に対して，必要な種々の条件を充たしている．

　しかし，これは決して「分かりやすい」順序ではない．易しいことから難しいことへ，具体的なことから抽象的なことへと進むのが，我々の期待するところである．それが人の「生理」である．ところが，直線的な順序に単元を並べようとすると，どうしても「数学的内容を記述するための数学的道具」，即ち「数の性質」や「集合」などの抽象的な議論が先立ってしまう．本来なら，多くの具体例を経験した後に，「穏やかに登場すべき抽象概念」が高校一年の春先から出てきてしまう．大学入試においても，一番厄介な問題は，一年生の科目である「数学I＋A」の内容に関連したものであることからも，如何にそれが「難しい概念」や「面倒な処理」を含むものであるかが分かるだろう．

　論理が生理を抑え込んでいるのだから，苦しむ人が出るのも当然なのである．何故この無理が通るのか．それは我々が社会全体から「合理という名の拷問を受けて，正しさの奴隷へと堕ちている」からである．合理的だ論理的だと騒いで「誰も彼もが部分的な正しさだけ」を主張している．**理想に基づく正論は，現実に配慮せず，排他的で残酷なだけである．**正に「木を見て森を見ず」だと言えよう．

　論理は「正しさを保証する」だけで，何かを生み出す力は無い．過去の精査には適しても，未来を拓く発見とは無縁のものである．新しいアイデアは，不合理で非論理的な間違いを含むことが常である．その正しさは奥に隠れて容易に現れない．従って，間違わない人に新発見は出来ない

のである．正しさへの拘りと，それに伴う安心感．これが「学習の順序」を決める人達やそれに従う人達が，その更新・改善に関心が持てない理由ではないか．お互い正しさに満足し，その名の下に思考停止しているのである．

英語においても同様の指摘がされている．二十世紀半ばに研究が始まった「第二言語習得理論」では，言語を生誕地の自然な環境から身に付けた母語話者と，自らの意志により第二の言語として学ぼうとしている者との比較検討が定量的に研究されている．その一つの成果として，巷に溢れる「教材の宣伝文」の多くが単なる俗説に過ぎないことが指摘されている——例えば，母語話者のように，「ひたすら英語のシャワーを浴び続けても，それがそのまま好ましい結果に繋がらないこと」などである．また，英語教科書の並び順と母語話者が学ぶ順の相違についても言及している．「これ，鉛筆！」では話にならないから，先ずは文の構成に必須となる「be 動詞 (三単現)」や「冠詞」を最初に扱うのであるが，これらは共に難しい問題を孕んでおり，本来ならば機が熟するのを待つべき内容なのである．

数学の言語的な面に注目して雑な対比を試みれば，我々は「自然数の概念」を，まるで母語のように知らず識らずの間に身に付けているのに対し，それ以降の発展的な内容に関しては，まるで第二言語のように習得に困難を感じていると言えるだろう．そして英語と同様に，数学教育においても俗説や幻想が世に溢れているのである．

学校教育が学生に与えている「最大の幻想」は，この順

序の問題に関連している．即ち，「教科書の順に勉強すれば理解出来るはずだ」「出来ないのは基礎が出来ていないからだ」「前の部分が不確かだから次へ進めない，後の頁が捲（めく）れない」という思い込みである．これに加えて「数学は積み重ね」という主張が折り重なってくるのである．冒頭で挫折する学生が出るのも無理からぬことである．

　それでは指導に「便利な順序」ではなく，学生が「理解しやすい順序」とは何か，「理想の並び順」は何か，という問題が生じる．それにはより深い研究が必要であろうが，好い折衷案がある．それは「繰り返し教科書を読むこと」である．冒頭に掲げた「理工書は後ろから読め」という提案も，何周も繰り返し読んで欲しいということを“控え目に表現したもの”である．繰り返し読むことが前提であれば，仮に用語の定義が後先になっていたとしても，特段の支障は生じない．「前述・後述」といった頁の往来も，何周もした後では，どちらが前やら後ろやらといった感じであろう．時には豪快な「飛ばし読み」も有効である．

　そもそも理解が難しい対象が，一度きりの直線的な学習で完結させられるはずがない．こんな常識的なことを書かざるを得ないのは，何度も読むという行為自体が「形式化されていない」からである．仮に学校において，教科書の全体を二ヶ月程度で一気に最後までやり，また最初の頁に戻ってこれを繰り返すという授業形態を取って頂ければ，学生達にも「その意味」が身に沁みると思う．教科書の最終頁と最初の頁を糊付けし，グルグルと回転させるように，何周も何周も読んでいくというイメージである．これ

ならば，特殊な教科書を用いるわけでもなく，決められた指導内容にも反せず，現場の教員の裁量で可能だと思うのであるが如何であろうか．勿論，私学においてはもっと自由度が高いだろうし，塾や予備校に通っている人達も，当然様々に工夫された授業を受けているだろう．しかし，過半の学生にとっては「学校が全て」なのである．

　全員が百点でもよい資格試験は分野別問題が主であるが，それでは困る**選抜試験は総合問題が主**である．従って，分野別学習だけでは入試に対応出来ない．例えば，「線」と付く用語には直線，線分，準線，割線，接線，法線などがある．これらを一括して学ぶことが入試対策の第一である．

　学校での指導は，高層ビルを塗装するに際して，一階の壁面の，そのまた一部に照準を定めて，「一回塗り」で完成レベルまで持っていこうとするやり方である．従って，学生も「まだ一階が塗れていないのに，二階に手が出せるはずがない」と思い込んでしまう．これでは最後の最後まで完成後のイメージが掴めず，学習に最も重要な「充分な動機付け」が出来ない．本来，**学問は「重ね塗り」の手法**によって学ぶべきものである．一回目は薄く薄く，淡い色を全体に付けていく．そして，乾いたら塗り，乾いたら塗りを何度も繰り返して，完成イメージを常に意識しながら学習を続けるのである──塗料が垂れることを思えば「最上階から始める」のもいいかもしれない．極言すれば，初学者にとっては基礎よりも全体把握の方が遥かに重要であり，「**森を見て木を見ず**」が適切だということである．先

ずは「全てに目を通す」こと，話はそれからである．

　学生時代に数学を避けられていた社会人の方が，必要があって教科書を再び手にされた時，意外にもその「分かりやすさ」に驚かれることが多いようである．何故そうなるのか．社会での経験が物の見方を拡げ理解力が増したことが主たる理由だろうが，微かに残っていた学習の記憶が，丁度「重ね塗りの一周目」の役割を果たした効果もあるのではないか．社会に出てからの趣味としての学びは，「教科書の順序」に拘束されず，思い付くまま気の向くままにテーマを選ぶので，自然であり効率的なのであろう．

　本書はそうした「重ね塗り」の初手となるように企画された．二周目以降は読者に委ねられている．そのため、敢えて細部を略した部分もある。「数字の列から文字が見えるか」「計算を一般化すればどうか」「何処を書き換えれば，教科書の記述に沿うか」，そうしたことを考えながら，自らの手で「本書の上級版」を作って頂きたい．その時，初めて「自分の言葉」で他者に数学を伝えられるようになる．誰であれ理解は"徐々"にしか進まない．歩みを止めず"進み続ける"という意志だけが不可能を可能にする．

　読書百遍意自ずから通ず――では「本文」へどうぞ！

　附記：本書は，例によって基本的な組版，作図の全てを著者自らが行った．使用したものは，主に組版ソフト：TEX と，統合環境 Anaconda 上の計算エンジン：Wolfram Language 12.3 (共に無料ソフト：後者は要登録) である．最後に，『SPW 財団』と『第 104 期生』による精神的支援への謝意を記して拙稿を了える．

索引

吉田 武 よしだ たけし

京都大学工学博士(数理工学専攻)。数学・物理学を中心に,人類文化の全体的把握を目指した著述活動を行う。主な著作に数学四部作『オイラーの贈物』『虚数の情緒』『はじめまして数学リメイク』(以上,東海教育研究所),『素数夜曲』(東海大学出版部),物理学四部作『ケプラー・天空の旋律』『マクスウェル・場と粒子の舞踏』(共立出版),『はじめまして物理』(東海大学出版部),『呼鈴の科学』(講談社現代新書)がある。

本文中に記された素数の表を音声で表現した「mp3 ファイル」は,こちらのQRコードよりアクセスして,ダウンロードして下さい。
非商用利用に限り無料で使用できます——
なお,使用に当たっては著作権者(吉田武)明記のこと。
さあ『素数を数えて落ちつくんだ』

たくましい数学 <ruby>数学<rt>すうがく</rt></ruby> 九九さえ<ruby>出来<rt>でき</rt></ruby>れば<ruby>大丈夫<rt>だいじょうぶ</rt></ruby>!

2022年10月12日 第1刷発行　　　　　　　　インターナショナル新書111

著 者	吉田 武 よしだ たけし
発行者	岩瀬 朗
発行所	株式会社 集英社インターナショナル 〒101-0064 東京都千代田区神田猿楽町1-5-18 電話 03-5211-2630
発売所	株式会社 集英社 〒101-8050 東京都千代田区一ツ橋2-5-10 電話 03-3230-6080 (読者係) 　　　 03-3230-6393 (販売部)書店専用
装 幀	アルビレオ
印刷所	大日本印刷株式会社
製本所	大日本印刷株式会社

©2022 Yoshida Takeshi　Printed in Japan
ISBN978-4-7976-8111-6 C0241